D0608856

AÏNAKO

ARIANE CHARLAND

# Les cités brisées

**Catalogage avant publication de Bibliothèque et Archives nationales du Québec et Bibliothèque et Archives Canada**

Charland, Ariane

Aïnako

Sommaire: 3. les cités brisées.

Pour les jeunes de 12 ans et plus.

ISBN 978-2-89435-609-8 (v. 3)

I. Titre. II. Titre: Les cités brisées.

PS8605.H368A76 2012 jC843'.6 C2012-940309-1

PS9605.H368A76 2012

*Illustration de la page couverture:* Boris Stoilov

*Infographie:* Marie-Ève Boisvert, Éd. Michel Quintin

Le Conseil des Arts du Canada

The Canada Council for the Arts

Patrimoine canadien

Canadian Heritage

La publication de cet ouvrage a été réalisée grâce au soutien financier du Conseil des Arts du Canada et de la SODEC.

De plus, les Éditions Michel Quintin reconnaissent l'aide financière du gouvernement du Canada par l'entremise du Fonds du livre du Canada pour leurs activités d'édition.

Gouvernement du Québec – Programme de crédit d'impôt pour l'édition de livres – Gestion SODEC



ISBN 978-2-89435-609-8

Dépôt légal – Bibliothèque et Archives nationales du Québec, 2012

Dépôt légal – Bibliothèque et Archives Canada, 2012



Éditions Michel Quintin

4770, rue Foster, Waterloo (Québec)

Canada J0E 2N0

Tél.: 450 539-3774

Téléc.: 450 539-4905

editionsmichelquintin.ca

1 2 - A G M V - 1

Imprimé au Canada

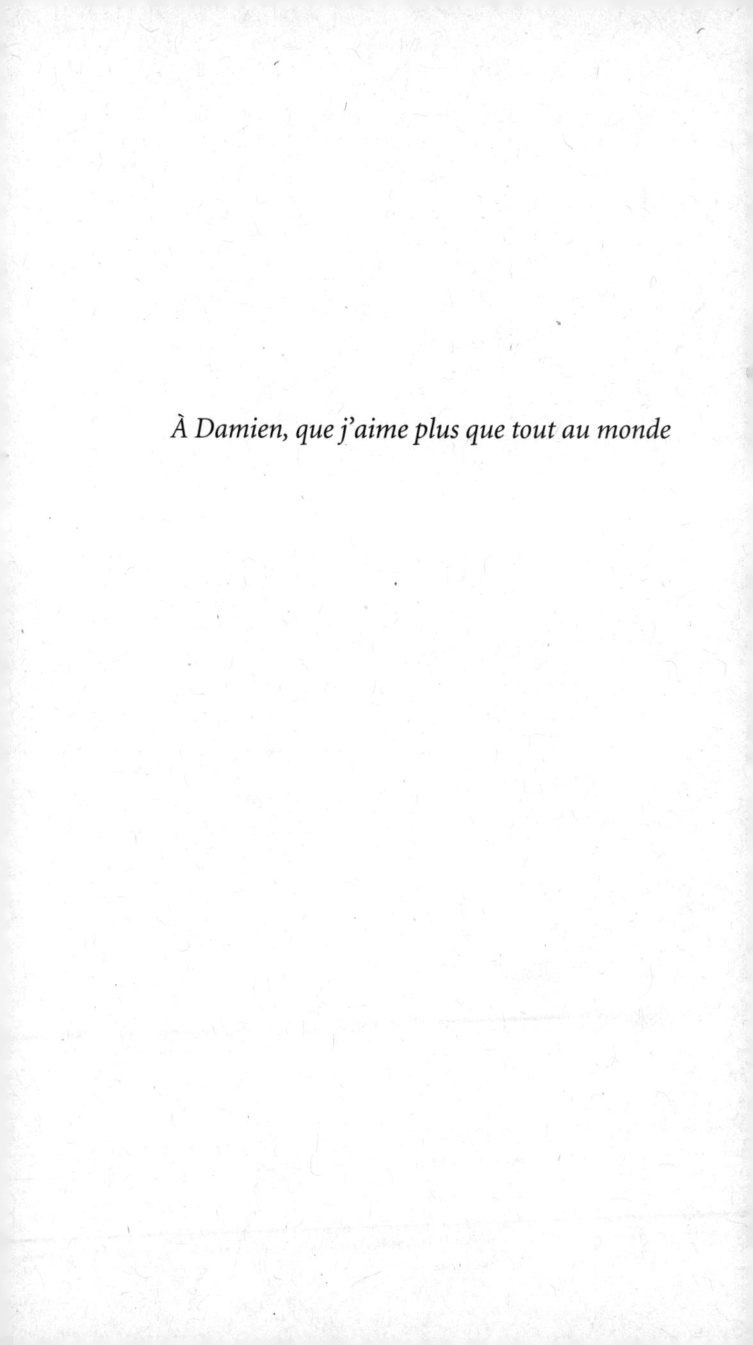

*À Damien, que j'aime plus que tout au monde*

# 1

## Le mort

Le sang avait fait fondre la neige qui s'était changée en flaque de glace rouge. Le visage du mort était à moitié recouvert de frimas et ses yeux encore ouverts semblaient avoir perdu leur couleur.

Une vingtaine de renards arrivèrent au petit trot. Leur pelage était gonflé à cause du froid et leurs narines exhalaient des nuages de buée.

Les elfes qui les montaient étaient tous vêtus de blanc. Des cheveux colorés s'échappaient de l'épais bonnet de laine de certains. Pour conserver leur équilibre, quelques-uns avaient ouvert les grandes ailes bigarrées qui sortaient des fentes verticales pratiquées au dos de leur manteau. Tous portaient une épée à la ceinture. La lame était dissimulée dans un fourreau métallique qui battait contre leur cuisse, mais la garde était bien en évidence, couverte de pierres précieuses dont la couleur différait pour chacun.

Bien que la plupart des soldats avaient déjà plus d'un siècle, rien dans leur apparence ne laissait deviner leur âge. La peau verte de leur visage était lisse et rayonnante.

Au centre du groupe se trouvait une elfe coiffée d'une simple queue de cheval rouge sombre qui jaillissait d'une ouverture au sommet de son bonnet. Les pierres qui ornaient son épée avaient la transparence du cristal. Mélancolique, elle contemplait les arbres gris qui s'élevaient autour d'eux, leurs branches nues qui s'emmêlaient contre le ciel blême et leurs racines brillantes de givre à moitié camouflées sous la neige…

Ce fut elle qui vit le mort.

— Stop ! cria-t-elle.

Son renard s'arrêta et tous les autres l'imitèrent. Aïnako descendit de sa monture avant que Taïs puisse l'en empêcher. Elle frissonna en sentant le froid de la neige traverser la semelle de ses bottes. Un autre elfe la suivit aussitôt. Sans un geste pour la retenir, il se contenta de rester près d'elle et d'observer le mort.

— C'est un des gouverneurs d'Élimbrel, dit-il sans la moindre émotion.

Elle se tourna vers lui. Les yeux d'Iriel étaient presque invisibles sous le rebord de son chapeau, mais on les devinait noirs et très profonds. Elle voulut répondre qu'elle l'avait elle aussi reconnu, mais elle avait trop mal au cœur pour ouvrir la bouche. Il y avait tellement de sang qu'elle n'arrivait pas à voir si le mort avait été complètement décapité.

— Aïnako, remonte sur ton renard, lui ordonna Taïs de sa voix à la fois fragile et autoritaire. Ce n'est pas à nous de nous occuper de ça.

Juchée sur le grand renard blanc qu'elle prenait tout le temps pour les longues distances, elle se tenait le dos raide et l'air austère. Ses yeux fauves semblaient la menacer. Cette fois, mal de cœur ou pas, Aïnako ne put rester muette.

— On ne peut quand même pas le laisser là !

Les ailes de Taïs, d'un noir mat parcouru d'arabesques vertes et dorées, se déployèrent quand elle sauta à terre. Les macarons qui retenaient ses cheveux argentés au-dessus de ses oreilles formaient deux bosses sous son bonnet de fourrure blanche. Seules quelques mèches brillantes balayaient son front et sa nuque.

— Remonte sur ton renard, répéta-t-elle d'une voix moins forte, mais cent fois plus menaçante. Nous avertirons Silmaëlle et elle enverra une équipe pour faire le ménage.

Cette attitude n'aurait pas dû surprendre Aïnako, Taïs pouvait se montrer d'une insensibilité à toute épreuve. Mais cela la choquait chaque fois qu'elle en était témoin.

— C'est encore ces maudits elfes sauvages! cracha une voix derrière elle.

Elle fit volte-face. Tous les soldats étaient assis bien droit sur leur renard et elle n'arriva pas à identifier celui qui venait de parler. De toute façon, elle ne comprenait pas pourquoi l'un d'eux aurait accusé les elfes sauvages. À sa connaissance, les habitants de Shamguèn n'avaient aucune raison de leur en vouloir et, à l'exception d'Iriel, d'Éléssan et de Naïké, aucun des elfes qui les accompagnaient n'était natif d'Élimbrel, où les tensions entre les résidants et les elfes sauvages avaient décuplé depuis la fin de la guerre.

La confusion de même qu'un début de colère devaient se lire sur son visage, car Taïs soupira et dit d'une voix ennuyée:

— Les elfes sauvages se sont rebellés.

Aïnako battit des paupières.

— Quoi?

Sa grand-mère poussa un second soupir et, avec l'expression exaspérée qu'elle prenait quand elle jugeait sa petite-fille trop ignorante à son goût, elle répéta:

— Les elfes sauvages se sont rebellés. Contre Élimbrel.

Aïnako reporta son regard sur le mort. Un

nouveau haut-le-cœur la gagna. Les elfes sauvages avaient donc fini par se rebeller.

« Tout est de ma faute », se dit-elle. Elle leur avait promis qu'ils pourraient devenir des citoyens d'Élimbrel à part entière et qu'ils auraient le droit d'ériger des dômes de protection autour de leurs campements. Elle leur avait promis qu'ils pourraient modifier les arbres sous ces dômes pour avoir des fruits à l'année. Elle leur avait promis que l'armée les défendrait en cas d'attaque, qu'ils auraient leurs propres représentants au sein du conseil royal, qu'ils pourraient se construire de vraies maisons sans avoir peur qu'on ordonne un jour leur destruction sous prétexte que les humains risquaient de les découvrir. Elle leur avait promis tout cela et, presque un an plus tard, ils n'avaient toujours rien obtenu. Leur rébellion était prévisible. Et justifiée.

Mais ce n'était pas une raison pour les accuser de meurtre. Et pourquoi n'était-elle pas au courant ? Pourquoi personne ne l'avait-il mise au courant ?

— Quand ? demanda-t-elle en essayant de mettre dans ce simple mot toute la fermeté dont elle était capable.

Taïs ne parut pas se sentir mal de lui avoir caché quelque chose d'aussi gros. Elle ne se sentait jamais mal.

— Il y a un peu plus d'un mois. Kaï à leur tête.

— Kaï ? Mais non, c'est impossible, je l'ai vue il y a… il y a…

Elle n'arrivait pas à se rappeler la dernière fois qu'elle avait vu son amie. Mais ça ne pouvait pas faire si longtemps. Kaï le lui aurait dit si les elfes sauvages avaient préparé une rébellion. Kaï n'aurait jamais accepté de blesser et encore moins de tuer qui que ce soit.

— Pourquoi personne ne m'a mise au courant ?

— Ça ne te concernait nullement.

— Ça ne me…

Aïnako sentit la colère l'étouffer, mais elle se força à se calmer. Elle se mettait trop souvent en colère et ça ne la menait jamais nulle part. Ça ne faisait que donner des munitions à ses détracteurs, à tous les conseillers de Shamguèn qui la regardaient de haut parce que, selon eux, elle n'était pas une vraie elfe. Le pire, c'était qu'ils avaient raison. Pas à cause de son sang gnome, quoique ça ne devait pas aider, mais à cause de son éducation humaine. Elle ne connaissait pas grand-chose du monde des elfes et ils ne se gênaient pas pour le lui rappeler. Elle gouvernait peut-être Shamguèn avec Taïs, mais elle n'était que la seconde reine.

Elle chercha instinctivement Éléssan des

yeux. En tant que commandant de l'armée de Shamguèn, il devait forcément être au courant. Il était descendu de son renard et s'était accroupi à côté du mort. Il posa une main illuminée d'un halo doré sur ses yeux et les ferma lentement. Elle s'approcha.

— Il s'appelait comment ? murmura-t-elle en faisant un effort pour maîtriser sa voix.

Éléssan leva la tête et eut un sourire attristé. Elle se demanda s'il était triste parce que le gouverneur était mort ou parce qu'il regrettait de lui avoir caché la rébellion des elfes sauvages.

— Anlis, répondit-il. Gouverneur des Boisés Bourgeonnants.

Aïnako se mordit la lèvre. Les choses s'annonçaient mal pour Kaï. Anlis était l'un des gouverneurs les plus farouchement opposés à l'intégration des elfes sauvages au peuple d'Élimbrel.

— On repart ! annonça Taïs d'un ton impérieux. Remontez tous sur vos renards.

Éléssan se leva, mais ses yeux ne lâchèrent pas Aïnako, comme s'il attendait qu'elle confirme l'ordre. Aïnako regarda encore le mort. Anlis. Sa gorge se serra.

— Pas sans lui, dit-elle en se tournant vers la première reine de Shamguèn.

Elle s'obligea à ne pas ciller. Pendant une seconde, Taïs parut surprise. C'était vrai qu'Aïnako n'avait pas l'habitude de la contredire. Ou plutôt elle n'en avait plus l'habitude. Au début, elle avait essayé de s'imposer et de faire valoir ses idées, mais, à force de se faire dire qu'elle n'y connaissait rien, elle avait appris à se taire et à acquiescer.

Un léger sourire étira les lèvres de Taïs.

— Ce n'est pas à nous de nous en occuper. Silmaëlle n'aimerait pas que nous nous mêlions des affaires de son royaume.

Aïnako avala sa salive.

— Mais on ne peut pas le laisser là, tout seul dans... dans son sang.

Taïs examina le corps du gouverneur, son visage plus gris que vert, le sang gelé qui semblait continuer à lui sortir de la gorge.

— Très bien. C'est ta mère, après tout; tu t'arrangeras bien avec.

Elle lui adressa un autre sourire fugace. Il n'y avait aucune complicité dans ce sourire, mais il n'y avait pas non plus l'ironie à laquelle Aïnako se serait attendue. C'était un avertissement: « Tu as gagné pour cette fois, mais ne t'avise plus de me contredire. »

Le soulagement qui l'envahit fit rapidement place à une sensation désagréable, proche de la nausée, mais sans rapport avec le mort. Elle aurait dû se réjouir de cette petite victoire sur Taïs, mais un étrange sentiment de honte l'en empêchait. Cette petite victoire, justement, lui rappelait qu'elle se laissait habituellement piétiner par sa grand-mère et ses conseillers.

Elle leva les yeux vers Éléssan et, sans qu'elle ait besoin de le lui demander, il somma deux de ses soldats de charger le gouverneur sur un des renards. Elle ouvrit les ailes et s'envola pour se poser près du cou de sa monture et enfouir ses doigts verts dans sa fourrure rousse. L'animal émit quelques glapissements excités. Il avait hâte de se remettre en mouvement.

— Tiens donc ! fit Naïké qui chevauchait à ses côtés. Je croyais qu'elle avait disparu, l'Aïnako qui voulait changer le monde.

Elle lui rendit machinalement son sourire. Naïké avait toujours été douée pour lui redonner sa bonne humeur, mais, depuis quelques mois, le courant passait un peu moins bien. Elles étaient toujours amies, elles ne s'étaient pas disputées, aucun malentendu n'était venu les séparer, mais quelque chose avait changé imperceptiblement, sans qu'Aïnako s'en rende compte. Maintenant, elle ne savait plus quoi faire pour que tout redevienne comme avant.

— C'était aussi ce que je croyais, marmonna-t-elle sans savoir si elle en était ravie ou déçue.

# 2

## Des myriades de rubans

Ils laissèrent les renards et s'envolèrent pour se poser dans l'arbre où se cachait la porte d'entrée menant à Lilibé. Aïnako avait beau savoir que le dôme de protection qui entourait la cité royale d'Élimbrel se trouvait juste devant elle, elle n'en voyait pas la moindre parcelle. La forêt semblait continuer à l'infini.

Une silhouette floue apparut au bout d'une branche et se précisa rapidement. Elle reconnut l'imposant gabarit de Handur, son ancien maître à l'Académie militaire.

L'air qui l'entourait trembla un instant, puis retrouva son immobilité tandis que la porte se refermait derrière lui. En fait de porte, c'était plutôt une sorte de bulle dans le dôme de protection; une bulle molle qui laissait passer ceux qui savaient où la trouver, contrairement au reste du dôme qui bloquait tout, même le vent et la pluie.

Handur s'arrêta d'abord devant Aïnako et s'inclina si profondément que le bout de ses ailes bleu royal et chocolat effleura la neige sur la branche.

— Majesté, la salua-t-il de sa voix caverneuse et beaucoup trop solennelle.

Aïnako entortilla une mèche de sa queue de cheval autour de son index.

— Bonjour, Handur. Tu n'as pas à t'incliner devant moi, tu sais.

Autour d'elle, les soldats de sa garde ne dirent rien, mais elle les sentit se raidir, à croire qu'elle venait de proférer la pire des insultes. Handur se redressa, confus.

— Majesté, je ne me le pardonnerais jamais. Ce serait vous manquer de respect.

Elle eut aussitôt envie de se frapper le front contre le tronc. Qu'est-ce qui lui avait pris d'aller dire ça à Handur ? Elle savait pourtant qu'il était à cheval sur les conventions. La honte lui fit monter le sang au visage. Ses joues vertes virèrent au rouge brique. Elle avait réussi le double exploit de vexer le maître d'armes et de renforcer sa propre réputation d'ignorante. Elle ne savait pas quoi faire pour se racheter.

— Il ne faut surtout pas vous en faire, dit

Taïs en s'avançant d'un pas pour se placer devant sa petite-fille.

Ayant retrouvé son air grave, Handur s'inclina devant la première reine de Shamguèn. Ses ailes rasèrent encore une fois la neige.

— Le voyage a été long et rude, poursuivit Taïs. Je crois que cette chère enfant est plus fatiguée qu'elle n'ose l'admettre et que la découverte que nous avons faite aujourd'hui l'a profondément perturbée.

Aïnako aurait voulu être invisible.

Les quatre soldats qui transportaient à l'aide d'un brancard de fortune le corps d'Anlis pétrifié par le froid se posèrent devant le maître d'armes. Handur tressaillit en voyant sa gorge tranchée où seule une croûte de sang gelé empêchait la plaie de s'ouvrir largement. Son regard remonta sur le visage livide du mort et ses yeux s'agrandirent.

Aïnako sut qu'il avait non seulement reconnu le gouverneur, mais également mesuré tout ce que son meurtre impliquait. Même si les elfes sauvages étaient innocents, les habitants d'Élimbrel ne le croiraient jamais. S'il y avait une seule personne que tous les elfes sauvages détestaient unanimement, c'était bien Anlis.

— Suivez-moi, dit-il de sa grosse voix militaire.

Il s'engouffra de nouveau dans la porte

transparente. Les contours de son corps s'estompèrent et il disparut. Taïs regarda Aïnako et, d'un geste impatient de la tête, lui fit signe d'y aller. C'était le royaume de sa mère, la cité où elle était née, c'était donc à elle d'entrer la première. Peu désireuse de passer une nouvelle fois pour une attardée, Aïnako ouvrit les ailes et s'exécuta. Dès que le bout de son nez toucha la barrière, elle ressentit le picotement qui lui était maintenant familier. C'était comme se dissoudre dans un nuage. Tous les écrans de lumière produisaient cet effet, mais ils avaient chacun leur particularité. Une certaine légèreté émanait de celui de Lilibé; on se sentait presque insouciant en le traversant, tandis que celui de Shamguèn était plus rigide; là, on se sentait étrangement plus sûr de soi.

De l'autre côté, l'odeur de la végétation l'assaillit. C'était l'odeur de la forêt multipliée par mille. Shamguèn aussi sentait le vert et le soleil, mais toujours sur fond de terre et de pierre.

L'hiver et les tempêtes n'atteignaient jamais Lilibé. Le temps restait immuable, la végétation ne se décolorait jamais, les fruits continuaient à pousser et les cigales à striduler. Même la branche où se trouvait la porte d'entrée changeait d'aspect d'un côté et de l'autre du dôme. À l'extérieur, quand elle n'était pas enfouie sous la neige, l'écorce était grise et d'aspect rugueux ; à l'intérieur, elle était lisse, gorgée de sève et recouverte de fleurs.

Aïnako respira un grand coup. Le froid qui régnait dehors avait fait place à une chaleur parfaite, ni trop sèche ni trop lourde. Derrière elle, à travers le mur de protection qui s'étalait comme une fine pellicule d'eau entre la cité et le reste du monde, on apercevait la forêt tapissée de blanc. En prêtant l'oreille, on arrivait parfois à entendre le craquement de brindilles gelées et les pas des animaux étouffés par la neige. Mais, en ce jour d'équinoxe, les habitants de Lilibé venus les accueillir étaient beaucoup trop bruyants. L'arrivée du printemps les excitait toujours. Lilibé avait beau ne pas connaître l'hiver, le changement de saison semblait inscrit dans leurs gênes.

Deux elfes portant la tunique rouge des pages du palais l'aidèrent à retirer l'épais manteau de laine qu'elle avait enfilé avant de quitter Shamguèn. Elle n'osa pas protester ; ils semblaient tellement prendre leur rôle au sérieux. Elle sentit même un sourire poindre au coin de ses lèvres. Le garçon ne devait pas avoir plus de dix ans, la fille à peine un peu plus, et tous deux paraissaient très impressionnés de la voir d'aussi près, même si elle trouvait qu'il n'y avait vraiment pas de quoi. On voyait qu'ils n'avaient pas l'habitude de voler aussi longtemps sur place. Leurs ailes battaient trop fort et pas assez vite, ce qui les faisait monter et descendre comme sur un ressort, signe qu'ils commençaient à se fatiguer.

Taïs, qui avait traversé la barrière juste après Aïnako, confia son manteau aux petits pages et se tourna pour faire face à la foule. Les acclamations se firent plus hésitantes. Les elfes présents semblèrent intimidés à la vue de leur ancienne ennemie, celle qui avait tué tant des leurs, celle qui avait alimenté leurs cauchemars pendant de si nombreuses années. Taïs leur offrit son sourire le plus innocent et salua avec juste assez de candeur calculée pour qu'ils se sentent obligés de l'applaudir avec autant d'enthousiasme que n'importe quelle reine en visite.

— Rien n'a changé depuis mon départ, dit-elle à sa petite-fille, tout en continuant à sourire à la ronde. Tout est toujours merveilleux.

Aïnako considéra sa grand-mère. Taïs avait fui Lilibé après s'être fait faussement accuser du meurtre de son père par sa sœur Tsamiel, la véritable meurtrière. Elle avait ensuite fondé Shamguèn et déclaré la guerre à Élimbrel pour tenter de s'en réapproprier le trône. C'était cette Taïs qu'Aïnako avait connue, cruelle et vengeresse. Maintenant, avec sa petite ossature, son visage pointu et sa voix fluette, elle ressemblait plutôt à une adolescente sortant pour la première fois de son patelin natal.

Les vivats de la foule redoublèrent soudain et Aïnako sut qu'Éléssan venait de faire son entrée. C'était une sorte de célébrité à Lilibé ; elle n'avait jamais vraiment compris pourquoi. Pourtant, quand il était commandant de l'armée d'Élimbrel, les soldats ne se gênaient pas pour lui cracher dessus dès qu'il avait le dos tourné.

Les cris de joie firent très vite place à un silence stupéfait suivi de murmures horrifiés. Derrière Éléssan venait le cadavre d'Anlis qui devait être transporté jusqu'à la crypte funéraire située sous le palais. Aïnako crut entendre les mots « elfes sauvages » et « peine de mort » chuchotés à quelques reprises. Elle s'efforça de garder son calme, mais la colère monta malgré elle.

— Pourquoi ne m'as-tu rien dit, pour Kaï et les elfes sauvages ? redemanda-t-elle à sa grand-mère. La vraie raison, s'il te plaît.

Entre deux sourires ingénus à la foule, Taïs soupira.

— Si tu ne passais pas ton temps à t'ennuyer de ta vie d'humaine, tu l'aurais su.

Aïnako resta sans voix. C'était donc une punition. Taïs et ses conseillers l'avaient gardée dans l'ignorance pour lui faire comprendre, encore une fois, qu'elle ne se comportait pas comme une vraie reine, comme une vraie elfe.

Taïs continuait à saluer les citadins, son air de jeune fille timide plaqué sur le visage, comme si elle s'excusait de leur rapporter le cadavre d'un des leurs en ce jour de fête. Aïnako la détestait, parfois. Surtout quand elle avait raison.

Elle aurait pu aller voir Kaï. Elle aurait pu lui envoyer un message. Avait-elle même répondu à la dernière lettre que son amie lui avait fait parvenir ?

Elle pouvait passer des heures à lire et à relire les courriels de Chloé que tatie Vivi lui imprimait sur des feuilles normales d'humains, lesquelles recouvraient tout le plancher de sa chambre quand elle les dépliait. Elle lui répondait sans faute pour lui raconter des balivernes sur sa fausse nouvelle vie en Suisse où elle participait prétendument à un échange d'étudiants. Avec l'aide d'Éléssan et de Naïké, elle lui avait monté tout un scénario sur son école, ses cours, ses professeurs, les autres élèves, la famille chez qui elle était censée habiter, le village près des Alpes où elle était censée vivre… Ce n'était qu'un ramassis de n'importe quoi, mais la solitude et le sentiment de ne pas être à sa place qui étaient malgré elle au cœur de tous ses messages étaient bien réels, eux.

Elle aurait voulu se défendre, mais tenir tête

à Taïs n'avait jamais été son fort. Elle l'avait fait l'été précédent pour mettre fin à la guerre, mais c'était parce qu'elle n'avait pas le choix. Si elle ne l'avait pas forcée à se débarrasser des diamants noirs et du pistil de l'arbre-soleil, les soldats d'Élimbrel n'auraient jamais accepté la paix. Les combats auraient repris et les morts auraient continué à s'empiler dans les deux camps.

Une armada d'elfes vêtus de l'uniforme vert et brun de l'armée vint à leur rencontre.

À la vue de tous ces militaires, Aïnako se rappela Olian. Elle n'avait pas pensé à lui une seule fois depuis qu'elle avait appris la rébellion des elfes sauvages. Elle ne s'était même pas demandé s'il parlait encore régulièrement à Kaï, s'il avait participé à une quelconque mission armée contre les rebelles, s'il était sain et sauf. Elle ne se rappelait pas la dernière fois qu'elle l'avait vu. Trois mois plus tôt, alors qu'elle se rendait chez tatie Vivi pour fêter Noël, elle était passée par Lilibé pour le saluer, mais il avait été retenu à l'Académie. Elle était donc partie sans le voir et, après cet épisode, aucun n'avait trouvé le temps d'aller visiter l'autre. Ils s'étaient bien écrit quelques fois, mais leurs lettres avaient été de plus en plus courtes et impersonnelles.

Le cœur battant, elle chercha ses longues

tresses blondes ou ses ailes marron. Son estomac se serra et elle se rendit compte qu'elle avait peur de le revoir. Quand elle fut certaine qu'il ne se trouvait pas parmi les soldats, elle ne put retenir un soupir de soulagement… et se sentit immédiatement très coupable.

— Aïnako !

Elle sursauta. Ses ailes manquèrent de s'emmêler et elle crut que son cœur allait s'arrêter. « Calme-toi ! se morigéna-t-elle quand elle reconnut sa mère. Tu dois ressembler à une vraie psychotique. » La peur de voir Olian la rendait plus nerveuse qu'elle ne l'aurait pensé.

Silmaëlle avait endossé l'habit militaire. Ses boucles bordeaux étaient dissimulées sous un turban kaki pour éviter qu'on ne la reconnaisse, mais ses ailes ambrées parcourues d'arabesques bleues et blanches la trahissaient. Les dessins qui ornaient les ailes des elfes étaient uniques, comme les empreintes digitales. La reine d'Élimbrel ne portait aucun bijou à part son pendentif en forme de larme, pareil à celui de sa fille. Taillés dans le même diamant, ils se passaient de génération en génération depuis des siècles.

Iriel, qui volait en silence à côté d'Aïnako, fit halte avec elle. Sans le voir, elle le sentit frémir, mais elle savait que rien n'avait changé dans son expression, qu'il affichait toujours le même air blasé. Silmaëlle lui jeta un coup d'œil. Elle sembla elle aussi se tendre, mais elle reporta son attention sur sa fille.

Elle lui prit les deux mains.

— Tu vas bien ? Vous avez été attaqués ?

— Oui, ça va. Non, personne ne nous a attaqués.

Aïnako se retourna pour voir où était rendu le corps d'Anlis. Elle s'attendait à ce qu'il soit loin derrière, mais leur groupe s'était resserré autour de Silmaëlle. Le cadavre était maintenant tout près. Elle pouvait voir le sang qui commençait à dégeler sur sa gorge et à dégoutter jusqu'au sol. Elle regretta de s'être retournée.

— On l'a trouvé comme ça dans la neige, parvint-elle à dire tout en se massant la poitrine pour faire passer son mal de cœur.

— Ne restons pas ici, dit Silmaëlle.

Elle salua brièvement Taïs de la tête.

— Pardonnez-moi de ne pas vous avoir accueillie dans les règles, mais vous comprendrez que l'inquiétude m'a fait perdre tout réflexe protocolaire.

— Bien entendu, répondit Taïs en lui rendant son salut. J'aurais eu la même réaction.

Quand elles émergèrent de la masse de soldats qui formaient une sorte de rempart autour d'elles, le palais de Lilibé leur apparut. Chaque fois, Aïnako oubliait à quel point il avait l'air irréel. Avec les fleurs grandes ouvertes de l'arbre-soleil qui le coiffait, on aurait dit qu'il brillait de l'intérieur. Les branches acajou qui s'enroulaient sur toute la hauteur de ses douze tours de nacre évoquaient des serpents interminables, tandis que l'immense tronc sur lequel il reposait semblait jaillir continuellement de la terre en tournant sur lui-même. Ce n'était qu'une illusion causée par les épaisses veines circulaires qui le parcouraient, mais l'effet était saisissant.

Les yeux de Taïs s'étaient mis à briller. Ses traits semblaient hésiter entre la joie et la tristesse. On aurait dit qu'elle se repassait toute sa vie dans sa tête, tous les souvenirs qu'elle avait de Lilibé, les bons comme les mauvais, ceux qu'elle croyait avoir oubliés et ceux qu'elle s'efforçait d'oublier.

Des myriades de rubans aux couleurs vives s'entrecroisaient entre les tours, reliant les balcons entre eux.

— Tous les habitants ont participé à la décoration de la cité, dit Silmaëlle à voix basse. Les enfants se sont occupés du palais.

Les couleurs festives censées célébrer la fin de l'hiver et le retour à la vie semblaient cruellement ironiques avec le cadavre d'Anlis qui dégelait lentement au bout des bras de ses porteurs.

# 3

# Shamguèlimbrel

Aïnako retira ses bottes et se jeta sur son lit.

Éléssan et Naïké prirent place sur une grande balançoire de feuilles entrelacées. Dotée de deux dossiers se faisant face à chaque extrémité, elle était suspendue au plafond par quatre tiges devant une des longues fenêtres en forme de pupilles de chats qui s'ouvraient à intervalle régulier tout le long de la pièce circulaire. Leurs pieds toujours bottés s'entrecroisaient au milieu de la nacelle et Naïké enroulait distraitement une tige verte autour d'un de ses doigts tout aussi verts.

Près de la porte, Iriel montait la garde. Aïnako ne comprenait pas pourquoi il avait voulu être le chef de sa garde personnelle. Il semblait la détester. Il ne la toisait jamais avec l'air méprisant des conseillers de Shamguèn, mais il ne lui souriait jamais non plus. Au début, elle avait essayé de retrouver l'espèce de complicité qu'ils avaient semblé partager après leur emprisonnement dans les souterrains gnomes et avant qu'il n'apprenne qu'elle était la fille de Silmaëlle, mais il était resté froid et distant. Assis sur une chaise, les chevilles croisées devant lui et la tête appuyée contre le mur, il constituait la nonchalance incarnée, même si tous ses sens restaient en alerte. Iriel paraissait toujours s'attendre à ce qu'une horde de criminels armés surgisse de nulle part pour les attaquer.

— Berk ! fit Naïké en renversant la tête sur son dossier et en défaisant ses couettes pour laisser ses cheveux pendre dans le vide. Disons que je n'ai plus trop le cœur à la fête.

— Vous pensez que le bal va encore avoir lieu ? demanda Aïnako, sceptique, en observant les reliefs d'allure rococo qui ornaient le plafond de sa chambre.

— Je sais que la mort d'Anlis t'a ébranlée, répondit Éléssan sur un ton bienveillant, mais on ne peut pas annuler la fête pour ça. Ça fait des semaines que tout le royaume s'y prépare.

— Ce qui m'ébranle, comme tu dis, c'est la rébellion des elfes sauvages. Mais on dirait que tout le monde était déjà au courant.

Éléssan fronça les sourcils, pensif.

— C'est effectivement étrange que Taïs ne

t'en ait pas parlé. Vous êtes censées gouverner le royaume à deux. Elle aurait dû te mettre au courant.

— Ça, je crois que c'est ma faute, fit la voix de Silmaëlle dans l'embrasure de la porte.

Iriel avait déjà bondi sur ses pieds et sa main avait volé jusqu'à la garde de son épée. Il arrêta son geste en la reconnaissant, mais son expression ne s'adoucit pas. Silmaëlle le remarqua. Ses yeux se voilèrent un instant avant de reprendre la mine sereine qu'elle arborait en toute circonstance. Elle rejeta ses boucles bordeaux derrière son épaule et ouvrit les ailes pour s'envoler vers sa fille. Elle passa pardessus fauteuils et tables à café avant de s'asseoir gracieusement sur le lit à côté d'elle. La robe vert lime qu'elle avait passée à la place de son uniforme bouffa quelques secondes en retombant autour d'elle.

— Qu'est-ce que tu veux dire? demanda Aïnako en se redressant pour prendre une posture moins avachie devant sa mère.

Elle se sentait encore mal à l'aise en sa présence. Elle ne savait jamais comment agir. On aurait dit que la Silmaëlle qu'elle avait appris à connaître à travers ses visions était différente de celle qu'elle côtoyait depuis son retour dans le monde des elfes. Leurs années de séparation l'avaient rendue plus grave, moins spontanée…

plus reine. À moins que ce ne fût parce que, dans ses visions, elle partageait les pensées de sa mère, ses émotions, ses sentiments, tout. Et ça faisait toujours bizarre d'avoir une mère aussi jeune. Enfin, une mère qui avait déjà plus d'un siècle, mais qui paraissait presque aussi jeune qu'elle.

— Quand j'ai envoyé mon message au sujet de la rébellion, expliqua Silmaëlle, je n'ai pas précisé que je voulais que tu me répondes. J'imagine que Taïs n'a pas voulu t'inquiéter avec ça.

— Peut-être qu'elle avait peur que tu offres à Kaï de la cacher en Shamguèn, proposa Éléssan d'un air dubitatif.

— Et comment, qu'on lui aurait offert de la cacher si sa vie avait été en danger ! s'écria Naïké. C'est ton amie. Et, les amies, c'est fait pour s'entraider.

Aïnako baissa les yeux. Elle aurait voulu aider Kaï, ça ne faisait aucun doute, mais aurait-elle osé agir sans le consentement de Taïs et de ses conseillers ? À sa plus grande honte, elle était incapable de trouver la réponse à sa propre question.

— Est-ce que les soldats étaient au courant ? demanda Éléssan à Naïké.

Ils étaient maintenant assis côte à côte et chacun tenait une corde de la balançoire pour l'empêcher de bouger. Ses pieds à lui étaient bien à plat sur le sol, mais la pointe de ses bottes à elle frôlait à peine les plus longs filaments du tapis d'aigrettes de pissenlit qui recouvrait le plancher.

— Il y avait une rumeur qui circulait, mais rien de précis. Je n'y ai pas accordé d'importance. Tu connais la fiabilité des ragots que se racontent les soldats. De vraies commères !

— J'imagine que les commères en question ne me font toujours pas confiance.

Éléssan avait été élu commandant de l'armée de Shamguèn peu de temps après le couronnement d'Aïnako. C'était elle qui avait demandé au conseil de voter pour lui. Il avait d'abord été chef de sa garde personnelle, mais Iriel avait débarqué en Shamguèn pour lui offrir de prendre sa place. Elle avait trouvé la requête curieuse, mais Éléssan l'avait poussée à accepter. Lui-même visait plutôt le poste de commandant, son prédécesseur à ce poste ayant justement démissionné parce qu'il refusait de faire la paix avec Élimbrel. Beaucoup de militaires ne voulaient pas de la nouvelle alliance et Éléssan espérait pouvoir mater toute tentative de mutinerie. Mais les soldats de Shamguèn ne l'avaient toujours pas accepté comme un des leurs.

Aïnako dévisagea ses amis, éberluée.

— Ça veut dire que vous n'étiez pas au courant ?

Éléssan eut un rire discret.

— Crois-moi, j'ai retenu la leçon. Plus jamais de secrets !

Aïnako lui rendit son sourire, trop soulagée que ses amis ne l'aient pas délibérément tenue dans l'ignorance.

— Mais pourquoi est-ce que Taïs nous aurait caché ça ? demanda-t-elle. Ça n'a aucun sens. Je suis censée gouverner avec elle, non ?

— Taïs a toujours été comme ça, répondit Silmaëlle. Ça ne date pas d'hier. Elle a toujours voulu tout contrôler.

Elle hésita un moment et ajouta :

— En particulier avec Fælkor. Elle décidait tout pour lui. Il ne pouvait pratiquement rien faire par lui-même.

En entendant le nom de son père, Aïnako ne put s'empêcher de jeter un coup d'œil à Iriel. Vingt ans plus tôt, Silmaëlle l'avait quitté pour pouvoir épouser Fælkor, le fils de Taïs. Pas par amour – Fælkor et Silmaëlle ne se connaissaient même pas –, mais par stratégie politique. Si Iriel fut troublé par la mention de ce nom, cela ne parut pas le moins du monde.

— Ça m'étonne, dit Aïnako en ramenant son regard sur sa mère. Elle n'arrête pas de me répéter qu'il était bon, sage, réfléchi et tellement plus digne que moi.

— Mais je parie qu'elle ne te parle jamais vraiment de lui, rétorqua Silmaëlle.

Aïnako haussa les épaules. C'était vrai. Chaque fois qu'elle lui posait une question, sa grand-mère s'arrangeait pour changer de sujet. Alors, elle ne lui posait plus de questions.

— Quand on est seules, parfois, elle me dit que j'ai les mêmes yeux que lui, mais c'est tout.

— Elle ne t'a pas non plus remis de pierre lui ayant appartenu ?

— À croire qu'il n'a jamais rien possédé qui soit fait en pierre. J'ai même l'impression qu'elle ne veut pas que je me promène dans la grotte de la place royale et encore moins dans le tunnel où il allait se cacher quand il était petit. Chaque fois que je m'apprête à sortir seule, elle trouve une excuse pour me garder occupée. On jurerait qu'elle ne veut pas que je le connaisse.

Contrairement à tous les elfes de la planète, Aïnako n'avait pas de mémoire parentale. Tout ce qu'elle connaissait de ses parents, elle l'apprenait par les pierres. Son père aussi était comme ça. C'était un des effets de leur sang métissé. Le père de son père était gnome. Il s'appelait Melkor. Avant sa mort, il était roi d'Okmern, le royaume gnome qui s'étendait à la fois sous Shamguèn et Élimbrel.

— Disons que leur relation était plutôt houleuse, dit Silmaëlle. Taïs était très exigeante et Fælkor avait toujours l'impression de la décevoir.

Aïnako hocha la tête. Ce n'était pas la première fois qu'elle en entendait parler.

— J'imagine que Taïs ne veut pas que tu la voies sous cet angle, continua Silmaëlle. Elle ne veut pas que tu saches que Fælkor souffrait.

— Mais c'est elle qui voulait que je reste en Shamguèn ! C'est elle qui voulait que je connaisse mon père !

— Les gens sont complexes, commenta Naïké. Quelqu'un qui est sans contradictions est quelqu'un qui est sans sentiments.

Elle avait parlé à voix basse, la tête légèrement tournée vers Éléssan, mais les yeux dans le vide. Le silence qui suivit ses paroles la ramena à la réalité. Elle prit conscience que tout le monde l'observait.

— Quoi ?

Éléssan sourit, une étincelle espiègle dans le regard.

— C'était, comment dire…

— … profond, compléta Aïnako.

Naïké eut une moue insultée.

— Ce n'est pas parce que je suis la meilleure

guerrière de Shamguèn et d'Élimbrel réunis que je ne suis qu'une brute sans cervelle.

Aïnako pouffa. Naïké prit un air encore plus vexé qui ne dura pas longtemps. Elle éclata de rire et les deux amies gloussèrent en chœur. Il y avait longtemps qu'elles n'avaient pas autant ri ensemble.

— N'empêche que Naïké a raison, fit remarquer Silmaëlle quand elles commencèrent à manquer de souffle. Taïs est une elfe complexe, pleine de contradictions. Je crois qu'elle a seulement peur de te perdre.

C'était la chose la plus absurde qu'Aïnako ait jamais entendue.

— Me perdre? Si elle avait peur de me perdre, elle ne m'humilierait pas aussi souvent en public. Elle avait tellement hâte qu'on gouverne ensemble et qu'on apprenne à se connaître! Son attitude a complètement changé après mon couronnement.

Elle grimaça en prononçant ce mot. Elle avait encore tellement de mal à s'imaginer reine! Silmaëlle sourit.

— Je suis sûre qu'elle ne pense pas à mal quand elle te cache des choses ou qu'elle critique ce que tu fais. Taïs essaie juste de te protéger... et de se protéger.

Aïnako fut soudain irritée. Qu'est-ce qu'il prenait à sa mère de défendre Taïs?

— Tu parles bien de l'elfe qui a tué ta mère et qui t'a volé ta lumière?

Tous les regards se tournèrent vers elle, même celui d'Iriel. Silmaëlle battit des cils, estomaquée. Aïnako savait qu'elle était allée trop loin, mais elle ne s'excusa pas. Elle se sentait d'humeur rebelle, peut-être par sympathie pour Kaï.

Sa mère s'humecta les lèvres.

— On commet tous des erreurs. Par amour, on commet tous des erreurs.

Ses yeux bleus étaient remplis de chagrin. Les remords envahirent Aïnako aussi subitement que la colère quelques instants plus tôt quand elle comprit qu'elle parlait d'elle-même. Elle s'en voulait de l'avoir abandonnée quand elle était bébé et encore plus de l'avoir en quelque sorte obligée à affronter son ennemie jurée. .

— Je ne voulais pas…

Silmaëlle posa sa main sur la sienne. De l'autre, elle jouait distraitement avec son pendentif.

— Ça va. Tu as parfaitement le droit de…

Aïnako n'entendit pas le reste. Elle eut l'impression que la chambre se mettait à tourner. Elle eut beau fermer et ouvrir les yeux, elle ne voyait plus rien. Tout était brouillé. Les formes et les couleurs se confondaient en formant un tourbillon psychédélique. Quand tout s'immobilisa enfin, elle était dans les souvenirs de sa mère.

Elle sentait les boucles de Silmaëlle lui caresser les joues. Elle reconnut sa façon de penser, sa conscience d'avoir un destin plus important qu'elle-même et sa volonté de ne pas faillir à son devoir. Mais elle devinait également une certaine nervosité, une peur viscérale qu'elle s'efforçait de juguler.

Le décor avait à peine changé. La pièce circulaire, les fenêtres en pupilles de chats et le tapis de pissenlits étaient les mêmes. Il n'y avait pas de lit, par contre. Que des fauteuils un peu partout et quelques petites tables de taille et de hauteur inégales.

Silmaëlle cessa de jouer avec son pendentif et posa les bras bien à plat sur les accoudoirs de son fauteuil. Elle regarda les deux elfes qui se trouvaient en face d'elle.

Aïnako reconnut Taïs, avec ses cheveux argentés qui formaient une cape autour de ses épaules pointues. Ses immenses yeux fauves bordés d'épais cils noirs semblaient disproportionnés dans son visage presque émacié. Ses ailes sombres étaient déployées contre le dossier de son fauteuil et ses genoux formaient deux pics à travers le velours indigo de sa robe.

Le cœur d'Aïnako se serra quand elle vit l'autre elfe. C'était son père. Son visage était mélancolique, comme d'habitude. Pourtant, un léger sourire flottait sur ses lèvres. Peut-être était-ce le gris de ses yeux qui le faisait paraître plus triste qu'il ne l'était.

Il tourna la tête vers sa mère en replaçant une mèche de cheveux blancs derrière son oreille. On aurait dit des fils de soie tant ils étaient lisses. Aïnako crut qu'il allait parler, mais il garda le silence. Elle eut l'impression qu'il n'osait pas prendre la parole avant Taïs.

Silmaëlle poussa un soupir. C'était aussi l'impression qu'elle avait et cela l'énervait.

— Fælkor, dit-elle en s'efforçant de masquer son agacement, c'est à toi que je parle. C'est vraiment ce que tu veux ?

— Fælkor est parfaitement d'accord, répondit Taïs de sa voix aigrelette. C'est la seule solution pour que le peuple accepte l'alliance.

Silmaëlle serra les mâchoires. « Taïs n'est plus une ennemie, se dit-elle pour contenir l'envie qu'elle avait de lui sauter à la gorge. Taïs n'est plus une ennemie et elle sera bientôt une alliée. Pense aux gens d'Élimbrel et à tout ce que la guerre leur a fait endurer. »

Avec une sérénité forcée, elle chercha à accrocher le regard de Fælkor.

— C'est la vérité ? demanda-t-elle.

Il jeta encore un coup d'œil à sa mère.

— Oui.

Sa voix était très douce. On n'y sentait aucune hésitation, mais aucune conviction non plus. Il s'éclaircit la gorge.

— Je veux la paix plus que tout au monde. Je suis prêt à sacrifier ma vie et mon bonheur pour que les elfes des deux royaumes ne connaissent plus la peur.

Cette fois, il avait regardé Silmaëlle dans les yeux et sa voix avait pris de l'assurance. Aïnako aurait voulu que le contact se prolonge, elle aurait voulu lire sur son visage la raison de sa tristesse, elle aurait tellement voulu le connaître ! Il baissa la tête avant de poursuivre :

— La paix ne pourra jamais durer si ma mère reste reine.

Il fit une nouvelle pause et releva les yeux.

— Comme elle n'aurait jamais pu durer si ta mère avait été au pouvoir, ajouta-t-il.

Le cœur d'Aïnako accéléra en même temps que celui de Silmaëlle. C'était l'épée de Taïs qui avait tué Néréli.

Le regard de Fælkor s'était fait plus intense. Silmaëlle soupçonnait qu'il avait fait exprès d'évoquer la mort de sa mère, même si elle ne comprenait pas pourquoi. Cherchait-il à la mettre mal à l'aise ? À mettre Taïs mal à l'aise ? Aïnako était certaine que son père ne visait ni l'une ni l'autre. Il voulait seulement rappeler à Silmaëlle les horreurs de la guerre.

Comme si elle en avait besoin ! Des images effrayantes de dizaines de batailles confondues ne cessaient de passer devant ses yeux. En permanence. Et celle de Néréli s'effondrant dans son sang revenait beaucoup plus souvent qu'à son tour.

Mais Fælkor cherchait aussi autre chose. Aïnako comme Silmaëlle ne le comprirent que lorsque Taïs reprit la parole.

— Tu veux que je m'excuse ? demanda-t-elle en fixant son fils d'un air interloqué.

La colère et le mépris se mêlaient dans sa voix. Elle se tourna vers Silmaëlle et eut un sourire pincé.

— Ça fait des jours qu'il me harcèle avec ça. Il voudrait que je te demande pardon d'avoir tué Néréli. Je ne le ferai pas. Personne ne m'a jamais demandé pardon pour mon exil forcé ou le meurtre de mon père. Si je n'avais pas tué Néréli, c'est elle qui m'aurait égorgée.

Aïnako sentit sa mère étouffer. Elle la sentit prête à sauter sur Taïs, à la griffer, à la mordre. Silmaëlle se domina de justesse. L'enjeu de cette rencontre était trop important pour qu'elle laisse libre cours à sa hargne. C'était aussi ce que lui avait fait comprendre Fælkor. Le bien-être de la population comptait plus que le sien. Des millions de vies valaient plus que la sienne.

— Mon fils ne possède pas le courage ou le talent d'un guerrier, enchaîna Taïs. En revanche, il est sage et avisé. Il sera parfait pour faire régner la paix.

Fælkor baissa la tête pour laisser le rideau blanc de ses cheveux camoufler son visage. Seul le bout de ses oreilles vertes brunit légèrement. On aurait pu croire que c'était par modestie devant le compliment dont venait de le gratifier sa mère, mais Aïnako savait et Silmaëlle devina qu'il rougissait à cause du reproche déguisé. Fælkor n'était pas un guerrier et Taïs en était déçue.

Le prince de Shamguèn décida toutefois de ne pas se taire comme il semblait en avoir l'habitude. Il releva la tête sans cacher la couleur de son visage.

— Si tu acceptes le pacte, commença-t-il d'une voix calme, si tu acceptes notre union et celle de nos royaumes, il faut que tu saches une chose.

À ces mots, Taïs écarquilla les yeux en tournant un visage apeuré vers lui. Elle se leva à moitié et fit un geste dans sa direction comme pour plaquer une main sur sa bouche.

Son fils lui saisit délicatement les doigts et lui adressa un sourire pâle. Taïs fronça les sourcils, mais resta coite et se rassit. Les yeux graves de Fælkor revinrent sur Silmaëlle.

— Je ne suis pas un héros parmi les gens de mon peuple. Pour la plupart, je ne suis qu'une parure, un accessoire qui se contente de rester en retrait derrière sa mère. Je n'ai jamais participé aux tournois d'armes et de lumière auxquels se livrent les princes et les princesses. Aucun elfe de Shamguèn ne connaît la couleur de ma lumière pour la bonne raison que je n'en ai pas.

Silmaëlle eut un rire incertain. Un elfe sans lumière ? Il devait se moquer d'elle.

— C'est la vérité, murmura Taïs.

Quelques secondes s'écoulèrent.

— Tu… tu n'as pas de lumière ? fit enfin Silmaëlle en dévisageant Fælkor. C'est impossible. Ça se verrait, si tu n'avais pas de lumière. Tu aurais l'air… Tu aurais l'air d'un humain. Ton visage serait terne comme celui d'un humain, ta peau serait grise comme celle des morts…

— Les gnomes n'ont pas le teint terne, la coupa Fælkor sans intonation particulière.

Silmaëlle vit Taïs tressaillir et considérer son fils avec de grands yeux, mais elle n'y accorda pas d'importance. Aïnako n'arrivait pas à croire que sa mère ne saisissait pas l'allusion. Cela lui semblait tellement évident ! Comment Silmaëlle pouvait-elle ne pas se douter qu'il était à moitié gnome ? Mais elle n'avait aucune raison de remettre en cause la version officielle : Fælkor était né du bref mariage entre Taïs et un de ses conseillers.

— Les gnomes ont leur propre énergie, dit-elle. Les feux follets et les ondins aussi. Les gnomes, c'est la force de toute la Terre qui coule dans leurs veines. On la voit dans leurs yeux et dans leurs gestes. Ils dégagent une telle solidité, une telle puissance qu'ils font parfois peur. Ils n'ont pas de lumière, mais ils n'en rayonnent pas moins pour autant.

Aïnako vit les yeux de son père s'agrandir de surprise et presque de fierté. Silmaëlle prit cela pour du scepticisme.

— Tu as une lumière, poursuivit-elle. Je peux même te dire qu'elle est extrêmement forte. Je l'ai sentie dès que je t'ai vu. Mais, comme c'est souvent le cas des lumières les plus puissantes, elle est cachée, elle ne se laisse pas apprivoiser. Si tu veux, j'essaierai de t'aider à la réveiller ; il paraît que je ne suis pas mauvaise professeure.

Fælkor sourit. Aïnako aurait juré qu'il

s'apprêtait à rire, mais la voix cassante de Taïs le fit sursauter et toute trace de joie fondit sur son visage.

— On verra, dit la reine de Shamguèn en posant une main protectrice sur le bras de son fils. Peut-être après le mariage et l'union des royaumes, mais pas avant. C'est trop risqué.

Silmaëlle eut un rire étonné.

— Risqué ?

— Risqué, répéta Taïs. Le peuple d'Élimbrel doit le voir comme un simple prince inoffensif. Il faut le persuader que c'est toi seule qui dirigeras. Le peuple de Shamguèn doit continuer de croire qu'il n'est que le prolongement de mon bras et que c'est moi qui détiendrai les vraies rênes du pouvoir.

Silmaëlle écarquilla les yeux. Elle s'attendait à ce que Fælkor réagisse devant ces insultes flagrantes, mais il resta silencieux.

— Tu ne te rends pas compte que ta mère vient de te manquer de respect ?

De longues secondes s'écoulèrent avant qu'il ne réponde avec un sourire résigné :

— C'est mieux si je reste dans l'ombre.

— Mon fils est le meilleur conseiller dont une reine peut rêver, mais ce n'est pas un dirigeant. Il n'a pas le charisme nécessaire pour enflammer les foules.

— Et moi je crois que tu te trompes, répliqua Silmaëlle par pur esprit de contradiction.

Elle trouvait Fælkor de plus en plus sympathique et elle n'aimait pas du tout la façon dont il se laissait dominer par sa mère.

Elle se leva, signifiant ainsi son intention de mettre fin à la rencontre. Ses invités l'imitèrent. Elle remarqua à quel point Fælkor était long et élancé. Ses cheveux blancs qui lui tombaient jusqu'à la taille semblaient allonger son visage et le rendre encore plus grand. Elle croisa son regard et la solitude qu'elle y lut la troubla plus qu'elle ne l'aurait voulu. Pour cacher son embarras, elle joignit ses mains à l'horizontale, à la hauteur de son diaphragme, les doigts de l'une appuyés sur le poignet de l'autre, et inclina le torse vers l'avant. Les autres la saluèrent de la même manière.

— Je vous envoie un messager d'ici quelques jours pour vous communiquer ma décision, annonça-t-elle en se redressant et en rejetant ses boucles bordeaux dans son dos.

Taïs pinça les lèvres et se dirigea vers la porte. Fælkor ne la suivit pas tout de suite.

— Tu verras! dit-il à voix basse pour que seule Silmaëlle l'entende. Ma mère ne nous embêtera plus une fois que nous serons mariés et que nous serons les seuls souverains des deux royaumes unifiés… enfin, si tu acceptes le pacte.

— Je ne suis pas du genre à me laisser embêter par qui que ce soit, répondit Silmaëlle.

Elle avait elle aussi chuchoté, mais sa voix était chargée de colère. Une lueur presque mutine apparut dans les yeux de Fælkor quand il murmura :

— Je n'en doute pas. Shamguèlimbrel a besoin d'une reine comme toi.

— Shamguèlimbrel ?

Silmaëlle sourit et s'esclaffa. Oui, décidément, elle l'aimait bien, ce Fælkor.

Il lui rendit son sourire et quitta la pièce avec sa mère.

Le silence qui suivit leur départ avait quelque chose de bizarrement triste. Silmaëlle se rassit dans son fauteuil, replia les genoux contre sa poitrine, resta immobile une minute et éclata en sanglots.

# 4

## La Butte aux Grives

Aïnako ouvrit les yeux et vit trois visages inquiets penchés au-dessus d'elle.

Iriel était le seul à ne pas la regarder. Debout derrière les autres, il étudiait Silmaëlle, ses boucles légères et la façon dont ses ailes remuaient dans son dos pour l'aider à conserver son équilibre. Il n'avait pas son air impassible habituel. Ses yeux semblaient plus grands, plus violets. Les muscles de ses mâchoires s'étaient détendus et les coins de sa bouche étaient légèrement étirés en une expression nostalgique.

Quand Aïnako fit un mouvement pour se relever et libérer ses ailes écrabouillées sous son poids, il tourna la tête et son regard croisa le sien. Elle baissa immédiatement les yeux, comme une enfant surprise en train d'espionner un adulte.

— Eh bien ! s'exclama Naïké. Te revoilà !

Aïnako grimaça en sortant le pendentif qu'elle avait caché sous sa tunique blanche. À côté de la larme de diamant, sur la même chaîne, elle avait enfilé la perle d'agate grise qui avait appartenu à son père.

— Pourquoi ce truc ne me donne-t-il des visions que lorsque je n'en veux pas ?

Éléssan et Naïké reprirent leur place sur la balançoire, tandis que Silmaëlle se rasseyait à ses côtés sur le lit. Iriel resta où il était.

— Qu'est-ce que t'as vu ? demanda Naïké qui n'avait jamais peur d'être indiscrète.

Aïnako se mit à entortiller une mèche de cheveux bordeaux autour de son index. Elle hésitait à parler de son père devant Iriel.

— C'était quelques jours ou quelques semaines après l'armistice, dit-elle à sa mère. Enfin, le premier armistice, avant ma naissance. Ça se passait ici, au palais, dans une chambre presque pareille à celle-ci. Tu discutais de l'unification d'Élimbrel et de Shamguèn avec Taïs.

— Je me souviens de cette journée, fit la voix sèche de Taïs.

Aïnako sursauta. Tout le monde pouvait donc entrer dans sa chambre comme dans un moulin ? Elle supposa que les gardes qui en contrôlaient l'entrée avaient pour tâche d'arrêter les criminels potentiels, pas sa mère ou sa grand-mère.

Taïs se tenait près de la porte, flanquée de la chef de sa garde, une grande elfe du nom de Sajra qui avait la tête rasée et pas moins de deux épées à la ceinture, et de son conseiller personnel, Léviann, celui-là même qui avait joué le rôle du père de Fælkor pendant de si nombreuses années.

— Ce jour a marqué l'histoire, dit Silmaëlle d'une voix exempte d'émotion.

Taïs s'avança vers le lit. La robe argentée qu'elle portait semblait un prolongement de ses cheveux détachés qui coulaient sur ses épaules.

— Tu n'avais encore jamais vu mon fils.

Silmaëlle hocha la tête. La haine qu'elles éprouvaient l'une pour l'autre était tangible. Probablement pour rompre le silence tendu qui s'était installé, Éléssan s'éclaircit la voix.

— Et dire que je n'étais pas au courant de cette rencontre ! J'étais le chef de ta garde et tu ne m'avais pas avisé.

Silmaëlle lui sourit.

— Je tenais à prendre seule ma décision.

— Et tu t'es décidée le jour même, dit Taïs.

— Je vous ai rattrapés avant que vous sortiez de Lilibé.

— Tu as crié le nom de mon fils au moment où nous nous apprêtions à franchir le dôme de protection.

— Je devais ressembler à une folle, avec mes cheveux en désordre et mes yeux boursouflés.

— Mais tu avais parlé avec la force d'une reine. Il n'y avait aucun doute dans ta voix.

— Il n'y avait aucun doute dans mon esprit. C'était la seule solution pour ramener la paix. Je devais épouser Fælkor pour que les habitants des deux royaumes aient un événement commun à célébrer; pour qu'ils comprennent que nous n'allions pas revenir sur notre parole et que la paix était là pour durer.

— Mais elle n'a pas duré, murmura Aïnako.

Personne n'ajouta quoi que ce soit. Les mâchoires d'Iriel étaient tellement contractées qu'elles semblaient sur le point d'éclater.

— Le bal va bientôt commencer, dit Éléssan à mi-voix.

Taïs sembla se réveiller. Elle lissa sa robe des deux mains et prit un ton de commandement pour s'adresser à sa petite-fille.

— C'est ce que j'étais venue t'annoncer. J'appelle tes assistantes à l'instant pour qu'elles t'habillent et tentent de faire une reine de toi.

Elle tourna les talons et sortit en laissant un parfum lourd et sucré derrière elle. Aïnako s'affala sur son lit. La soirée s'annonçait longue.

La cour intérieure du palais était méconnaissable. Les fleurs de l'arbre-soleil étaient fermées, mais les silhouettes lumineuses des danseurs projetaient des reflets multicolores sur les tours.

— Souris, dit Taïs. Le peuple doit penser que nous nous amusons comme des enfants, assises sur nos trônes à le regarder s'émoustiller.

Sa condescendance énerva Aïnako.

— J'ai mal aux joues.

— Tu t'y habitueras. Une reine doit toujours sourire devant le peuple.

— Une reine doit toujours faire ce qu'elle ne veut pas faire ! À t'écouter, on jurerait que nous n'avons que des obligations.

— Bien sûr que nous n'avons que des obligations. C'est ça, être reine. Nous sommes les esclaves du peuple. Sans lui, nous n'existerions pas.

— On pourrait quand même se permettre une ou deux libertés, une fois de temps en temps.

Sans se départir de son sourire, Taïs lui adressa son sempiternel regard de reproche.

— Tu peux aller danser, si tu veux. Le peuple d'Élimbrel serait ravi de voir son ancienne princesse se joindre à lui.

Aïnako observa les danseurs qui

tournoyaient devant elle. Perchées au-dessus des tours de nacre, les deux reines de Shamguèn avaient une vue en plongée sur la cour. De cette hauteur, on aurait dit un immense bocal en forme de dodécagone. Trois trônes avaient été déposés sur la plateforme d'ambre qui entourait l'arbre-soleil, mais seuls deux d'entre eux étaient encore occupés. Silmaëlle se trouvait quelque part parmi les fêtards. Elle avait demandé à sa fille de l'accompagner, mais Aïnako n'était pas certaine de savoir comment danser sans pouvoir poser ses pieds au sol.

— Je ne comprends pas comment tout le monde fait pour célébrer, alors que le cadavre d'Anlis n'est même pas enterré.

— Les gouverneurs s'occupent des provinces à l'extérieur de Lilibé, répondit Taïs. Si les habitants de la cité les connaissent de nom ou de réputation, ils ne sont aucunement attachés à eux. Cesse donc de te tourmenter avec cet incident ! Une reine ne doit pas se laisser émouvoir par la mort d'une seule personne. Maintenant, souris et replace ton diadème.

Aïnako redressa machinalement son diadème de bourgeons qui n'arrêtait pas de glisser sur ses cheveux raides. Semblable aux couronnes de marguerites qu'elle fabriquait quand elle était petite, il était composé de centaines de petits boutons de fleurs dont les couleurs et les motifs évoquaient les volutes rouge cerise qui sillonnaient le duvet crème de ses ailes. De telles fleurs n'existaient évidemment pas à l'état naturel; c'était les horticulteurs du palais qui les avaient créées. Certains elfes avaient la faculté de parler aux plantes. Ils n'avaient qu'à poser leurs mains dessus pour qu'elles obéissent à la moindre de leurs pensées.

Elle observa Taïs du coin de l'œil. Son diadème dont chaque minuscule pétale noir était parcouru de lignes vertes et dorées restait immobile même quand elle bougeait. C'était ce qu'elle appelait le port royal.

— Si tu apprenais à tenir ta tête comme une reine, tu n'aurais pas à le remettre continuellement en place.

Aïnako arracha sa couronne d'un geste irrité.

— Mon père était persuadé que tu ne l'aimais pas.

La phrase était sortie sans qu'elle y pense. Le sourire de sa grand-mère s'évapora.

— Tu ne sais pas ce que tu dis.

Aïnako regretta d'avoir parlé, mais pas assez pour s'excuser.

— Il aurait aimé que tu sois fière de lui.

— Tu ne sais pas ce que tu dis, répéta Taïs.

— C'est pour ça que tu ne me laisses jamais me promener dans la place royale, hein? Tu as trop peur que je capte ses souvenirs et que je voie à quel point tu étais méchante avec lui.

— Mon fils savait que je l'aimais. Tout ce que j'ai fait, je l'ai fait pour lui.

— Il avait honte de ce qu'il était. Il avait honte de son sang gnome. Je devrais avoir honte, moi aussi ?

— Ton père était quelqu'un d'exceptionnel. Il voyait le bon en chaque individu. En sa présence, on avait envie de devenir meilleur. On avait envie d'être réellement la personne qu'il voyait en nous.

— Alors, pourquoi lui as-tu demandé de cacher l'identité de son père ?

— Fælkor comprenait pourquoi. Déjà qu'il n'était pas versé dans les arts de la guerre... si le peuple avait su qu'il était à moitié gnome, sa légitimité en tant que prince héritier aurait pu être contestée.

— Tout comme ma propre légitimité en tant que reine.

Taïs ne sembla pas émue par l'expression amère de sa petite-fille. Son regard se fit un peu plus dur.

— Si le peuple et le conseil te voient encore comme une gamine, c'est que tu agis encore comme une gamine.

Aïnako aurait aimé trouver une réplique incisive, mais elle ne put qu'émettre un couinement insulté. Pourquoi n'arrivait-elle jamais à avoir le dernier mot? Pourquoi sa grand-mère ne prenait-elle jamais sa défense? Elle n'avait pas demandé à être reine. Elle n'avait même pas demandé à être une elfe. Si Taïs ne voulait pas partager le pouvoir, pourquoi lui avait-elle proposé de gouverner Shamguèn avec elle?

— Je vais retrouver Olian, dit-elle en se levant.

Elle n'avait pas plus envie de danser qu'au moment où sa mère le lui avait offert, mais elle avait encore moins envie de rester assise sur son trône. Lorsqu'elle passa à côté de Naïké qui montait la garde avec les autres soldats de Shamguèn et les gardes de Silmaëlle tout autour de la plateforme de l'arbre-soleil, son amie lui chuchota:

— Ne t'oublie pas.

Le sens de cette remarque lui échappa, mais elle lui sourit quand même. Éléssan qui se trouvait juste à côté fit un discret mouvement de tête en direction du dernier balcon d'une des tours voisines. Aïnako suivit son regard, mais ne vit pas ce qu'il voulait lui montrer dans tout ce grouillement d'ailes et de jambes.

Sa couronne de fleurs toujours à la main, elle sauta par-dessus la balustrade ambrée et attendit de se retrouver en chute libre avant d'ouvrir les ailes. Elle adorait la sensation de l'air qui soulevait ses cheveux et le flot d'adrénaline que cela libérait dans son sang.

Et elle adorait faire enrager Iriel.

— Je t'ai déjà demandé de ne plus faire ça, dit-il en la rattrapant.

— C'est pour te garder sur le qui-vive!

Iriel était tout sauf aimable. Pourtant, elle aimait bien sa compagnie.

— Tu penses que j'agis comme une simple gamine, toi aussi?

Sa question ne reçut aucune réponse, mais elle ne s'en formalisa pas.

— Comme si le fait d'être snob et de me tenir droite allait faire de moi une vraie reine! continua-t-elle en se faufilant entre les danseurs.

Elle maîtrisait ses ailes à la perfection, mais pas au point de se risquer à danser. Elle avait hérité du style de sa mère à l'escrime, mais pas de sa grâce. Iriel la talonnait avec son air patibulaire. En voyant son uniforme blanc, les elfes s'écartaient de son chemin et certains, l'ayant sans doute connu alors qu'il était commandant de l'armée d'Élimbrel, le saluaient d'un signe de tête ou se mettaient carrément au garde-à-vous. Presque personne ne reconnaissait Aïnako et les regards glissaient sur elle sans remarquer le diadème de boutons de fleurs qu'elle avait remis sur sa tête. Elle soupira et l'enleva une nouvelle fois.

— Au fond, Taïs a raison. Je n'ai rien d'une reine. Je ne connais rien à la politique, je suis incapable de donner un ordre sans avoir l'air de m'excuser et je m'écrase chaque fois qu'un conseiller me regarde un peu de travers. Tu sais, au début je voulais vraiment faire changer les choses. J'étais décidée à faire ma place, je voulais que les gens sachent qui je suis.

— Qui es-tu? demanda calmement Iriel.

Elle se tourna vers lui, ahurie. Depuis qu'il était chef de sa garde, c'était la première fois qu'il lui posait une question. C'était également la première fois que sa voix n'était ni rude ni ennuyée. Son visage était toujours impassible, mais ses yeux étaient plantés profondément dans les siens.

— Qu'est-ce que tu veux dire?

Iriel détourna le regard sans répondre. Aïnako n'insista pas, encore troublée par la question qu'il venait de lui poser. Est-ce que ça avait un rapport avec ce que lui avait chuchoté Naïké? *Ne t'oublie pas.* Comment pourrait-elle s'oublier?

Elle s'était dirigée vers l'endroit qu'Éléssan lui avait désigné. La foule était tellement compacte qu'il était difficile de démêler les membres enchevêtrés des invités. On aurait dit qu'il y avait trop d'ailes pour le nombre de têtes. Elle virevolta plusieurs secondes et bouscula quelques danseurs en s'excusant avant d'enfin distinguer une crinière de tresses blondes parmi toutes ces tignasses multicolores.

Elle se figea. Iriel s'immobilisa avec elle et quelques elfes leur rentrèrent dedans sans sembler s'en rendre compte, tant la cour était bondée.

Le rire d'Olian était léger, insouciant. Aïnako n'avait pas entendu ce rire depuis une éternité. Elle sentit sa gorge se serrer. Devait-elle aller lui parler ? Après tout, il n'était pas venu la voir alors qu'elle était on ne peut plus en évidence sur son trône. Elle espéra un instant qu'il l'aperçoive, qu'il lui sourie et qu'il vienne la retrouver ; puis elle eut peur que son rire ne s'éteigne lorsqu'il la verrait.

Elle se mit à penser à Kaï. Savait-elle que c'était la fête à Lilibé ? Savait-elle que le corps d'Anlis avait été retrouvé à moitié décapité ? Des soldats d'Élimbrel étaient-ils déjà partis l'arrêter ? Lui accorderaient-ils le bénéfice du doute ? Elle eut soudain très peur pour son amie. Les soldats étaient des professionnels et Handur, leur nouveau commandant, ne les autoriserait jamais à faire mal à qui que ce soit, mais qu'arriverait-il si les elfes sauvages refusaient de coopérer ?

Elle observa de nouveau Olian qui riait et dansait. Il était avec un groupe de soldats qu'elle ne connaissait que de vue. Lui d'ordinaire si solitaire, il semblait bien s'amuser. Il ne pensait pas à elle. Il ne pensait pas à Kaï.

Quand ses ailes commencèrent à lui faire mal à force de voler sur place, elle les fit claquer dans son dos et fila vers le ciel en jouant du coude et en se contorsionnant pour réussir à s'extirper de la masse. Elle passa entre deux des branches acajou qui reliaient le sommet des tours à l'arbre-soleil, éloigna quelques guirlandes de bourgeons d'un revers de main et continua en ligne droite.

La fête débordait de la cour pour s'étaler dans toute la cité. Des musiciens reprenaient les airs joués au palais, tandis que d'autres, plus loin, les reprenaient à leur tour. La cacophonie des sons était étrangement harmonieuse.

Les plateformes étaient bondées. Chaque branche de chaque arbre était garnie de fleurs de soie et de papier, les vraies fleurs s'étant refermées pour la nuit. Partout, des elfes chantaient et riaient. Aïnako avait toujours eu du mal à accepter cette nature insouciante qui les rendait parfois insensibles aux malheurs d'autrui.

Elle accéléra. Ses ailes fouettèrent violemment l'air et le vent siffla dans ses oreilles, mais cela ne chassa pas la boule qui s'était logée dans sa gorge.

Iriel l'attrapa par le poignet pour la forcer à freiner. Cette perte subite de vitesse leur fit décrire plusieurs cercles. Aïnako cessa de battre des ailes, Iriel aussi et ils tournoyèrent jusqu'au pied des arbres. Dès qu'elle toucha l'herbe tiède, elle se dégagea et le foudroya du regard.

— Qu'est-ce qui te prend ?

Sa voix résonna contre les troncs. Le sol de la cité était désert. La musique ne leur parvenait qu'en sourdine.

— Tu allais faire une connerie. C'est mon boulot de t'en empêcher.

— Qu'est-ce que t'en sais, que j'allais faire une connerie ?

Elle criait malgré elle, parce que sinon elle allait se mettre à pleurer comme une idiote.

— Tu t'apprêtais à sortir pour aller voir Kaï.

Elle en fut bouche bée.

— Je commence à te connaître, poursuivit Iriel. Ça fait des mois que je te suis comme un chien de poche.

Aïnako ne put retenir un sourire. C'était elle qui lui sortait cette expression typiquement humaine quand elle en avait assez de ne pas pouvoir ouvrir les ailes sans qu'il semble se matérialiser à ses côtés. Elle balaya les larmes qui s'étaient mises à couler sur ses joues.

— Pourquoi es-tu incapable de t'amuser, toi aussi ? demanda-t-elle d'un ton plus accusateur qu'elle ne l'aurait voulu. Tu es un elfe. Un vrai. Je croyais que tous les elfes adoraient faire la fête.

— Seulement ceux qui ont la conscience tranquille.

Ils ne dirent rien pendant un long moment. Aïnako soupira.

— Il faut que j'aille voir Kaï. C'est notre amie. Il faut qu'on l'avertisse pour qu'elle soit prête quand les soldats débarqueront pour l'interroger, si ce n'est pas déjà fait. Tu ne me feras pas croire que tu t'en moques, si elle se fait maltraiter ?

Iriel l'étudia à la dérobée. Quand il parla, sa voix était encore plus froide qu'à l'habitude.

— Les elfes sauvages ne sont pas aussi innocents que tu le penses.

— Qu'est-ce que tu veux dire ?

Les yeux d'Iriel n'exprimaient rien, mais elle eut l'impression de les voir s'assombrir.

— Éléssan ne t'a jamais parlé du massacre de la Butte aux Grives ?

— Éléssan non, mais Olian, oui. Il m'a dit que les soldats de Shamguèn avaient tué tous les villageois sans exception. Ils les ont pris par surprise sans que personne les voie venir.

— Les sentinelles postées autour du village

les avaient vus. Elles nous ont envoyé un message. C'est nous qui n'avons pu arriver à temps.

— Comment ça? Qu'est-ce qui s'est passé?

Elle était certaine qu'il ne répondrait pas, il ne répondait jamais. Mais il s'approcha et appuya son index sur le pendentif qu'elle avait caché sous le col de sa robe.

— J'aurais cru que tu aurais déjà capté ce souvenir.

Sans retirer son doigt, il enchaîna:

— Un bataillon de l'armée de Shamguèn se dirigeait droit sur la Butte aux Grives. Le roi de l'époque m'avait chargé de le devancer pour assurer la défense des villageois. Je suis parti avec une centaine de soldats, dont ta mère, mais on devait traverser un campement d'elfes sauvages. Ils ont refusé de nous laisser passer.

Il cessa de parler, mais Aïnako en eut à peine conscience. Un tourbillon d'images avait pris possession de son esprit. Elle voyait toujours Iriel, mais il semblait dédoublé. Elle ferma les yeux.

Quand elle les rouvrit, un seul Iriel la contemplait. Ses yeux noirs étaient encore plus sombres et ses cheveux longs flottaient au vent.

L'insigne de commandant était bien visible sur son uniforme vert et brun.

— Je refuse de me laisser menacer par ces imbéciles, cracha-t-il. S'ils veulent la guerre, ils l'auront.

Aïnako sentit un picotement froid remonter le long de sa colonne vertébrale.

— On ne peut quand même pas les attaquer ! dit-elle de la voix claire de sa mère.

Le regard d'Iriel ne vacilla pas. Silmaëlle retint un frisson.

— Tu ne peux pas être sérieux, reprit-elle dans un murmure horrifié. Tu t'étais juré de ne jamais devenir comme ton père.

Ils s'étaient posés dans les rameaux entrelacés d'un bouleau. L'écorce blanche s'arrachait en longues bandes et le vent brassait les feuilles. Derrière eux, une centaine de soldats attendaient les directives en silence. Dans les arbres environnants, des elfes aux vêtements bigarrés faits de bouts de tissu aux motifs disparates les encerclaient. Leur nombre était difficile à évaluer, mais ils devaient être au moins dix fois plus nombreux qu'eux. Personne ne parlait dans leurs rangs non plus.

Partout entre les feuilles, des hamacs et des rideaux aux couleurs végétales se fondaient dans le paysage.

Iriel tourna la tête vers ceux qui se trouvaient

le plus près. Il fit quelques pas vers eux. La branche se courba légèrement sous son poids. Trois elfes s'approchèrent. Ils s'arrêtèrent quand ils arrivèrent au bout de leur propre branche, à quelques centimètres de lui. Ils attendirent qu'il parle.

— Nous passerons, dit-il. Avec ou sans votre accord.

— Alors, répondit le plus petit des trois, ce sera sans.

Les boucles safran qui dansaient autour de son visage pointu lui donnaient un air taquin, mais ses bras croisés sur sa poitrine n'inspiraient aucune amitié.

— Nous ne vous laisserons pas traverser notre campement sans nous battre, continua-t-il. Nous en avons assez qu'Élimbrel nous considère comme des elfes de second ordre. Nous vous avons exposé nos conditions. Nous exigeons le droit d'ériger nos propres dômes de protection pour nous protéger en hiver et y faire pousser des fruits toute l'année. En échange, nous sommes prêts à collaborer au bien commun.

Iriel lorgna la multitude silencieuse qui les entourait.

— Qu'est-ce qu'une poignée d'elfes sauvages pourraient bien nous offrir que nous n'ayons déjà ?

La rage donnait une note méprisante à sa voix. Son vis-à-vis plissa les yeux.

— Nous voyageons beaucoup. Nos ancêtres ont parcouru le globe. Notre mémoire est riche et longue.

— Nous sommes déjà au centre de votre campement. Nous laisserez-vous en sortir ?

Il n'y eut aucune réponse. Les épaules d'Iriel se redressèrent et ses muscles se raidirent. Aïnako perçut la peur de sa mère. Elle connaissait ces signes. La patience d'Iriel était à bout. Il fit un nouveau pas vers les elfes sauvages.

— Seriez-vous passés à l'ennemi ? L'armée de Shamguèn sera à la Butte aux Grives d'un instant à l'autre. Si vous nous empêchez d'aller secourir les villageois, vous nous déclarez la guerre.

L'autre ne recula pas.

— Nous vous laisserons passer si vous nous promettez qu'Élimbrel nous accordera ce que nous demandons.

Le commandant laissa tomber un éclat de rire sinistre.

— Vous voulez la guerre, donc !

Sans bouger, sans même élever la voix, il dit à l'intention de ses soldats :

— On passe.

Dans les feuilles du bouleau, cent épées sortirent de leur gaine.

Quelque chose de lourd chuta dans la poitrine d'Aïnako. Elle se surprit à haïr Iriel comme elle avait haï Taïs la première fois qu'elle l'avait vue. Peut-être encore plus. Elle fut encore plus surprise quand elle réalisa que ce sentiment appartenait à sa mère. Pendant une seconde, Silmaëlle exécra Iriel au point de souhaiter sa mort, ce qui ne l'empêcha pas de l'imiter quand il s'envola.

Les soldats quittèrent leur perchoir. Des rugissements et des explosions lumineuses les accueillirent. Un écran de lumière blanche enveloppa Aïnako. Elle se mit à attaquer. La colère de sa mère s'était transférée sur ces elfes sauvages qui les empêchaient d'aller secourir les villageois assiégés. Leurs vêtements en patchwork semblaient curieusement déplacés. Trop colorés pour les horreurs du combat, ils n'étaient pas assez souples et n'offraient aucune protection.

Chaque soldat se battait contre dix adversaires, mais les forces étaient loin d'être égales. Les elfes sauvages avaient beau être nombreux et déterminés, ils ne possédaient ni l'entraînement ni la discipline des militaires d'Élimbrel.

Silmaëlle tentait d'assommer ses opposants ou de les blesser juste assez pour qu'ils se retirent, mais pas trop pour qu'ils puissent guérir. Près d'elle, Iriel faisait de même, mais son but était de passer et il passerait. Ses coups étaient parfois plus durs qu'ils n'auraient dû l'être.

La bataille fut rapidement terminée, mais le temps était compté si juste pour arriver à la Butte aux Grives qu'une simple petite heure pouvait faire toute la différence.

Des gouttelettes rouges mouchetant son visage et son uniforme, Iriel ne prit pas le temps de souffler. D'un geste de son épée, il fit signe à sa troupe de le suivre et tous se remirent en route.

Une puanteur chaude et poisseuse leur parvint, charriée par la brise qui venait à leur rencontre. Aïnako reconnut l'odeur du sang frais. Son estomac se retourna. Par les yeux de sa mère, elle vit les traits d'Iriel se durcir. Plus ils approchaient, plus l'odeur devenait insupportable.

Les contours de la Butte aux Grives apparurent bientôt entre les arbres. Les quelques bosquets qui constituaient le village étaient normalement entourés d'un dôme de protection semblable à celui de Lilibé, mais en moins puissant. L'ennemi n'avait eu aucun mal à le pulvériser. Le vent agitait les feuilles, mais aucun oiseau ne chantait. Au sol, Aïnako aperçut ce qui ressemblait à des corps disloqués, ensanglantés, étendus dans les brindilles et les cailloux.

La scène bascula.

Elle se retrouva debout dans une chambre de la tour des militaires. Iriel était assis dans un fauteuil, les coudes sur les genoux et la tête dans les mains. Elle sentit un nœud se former dans sa gorge. Elle s'approcha et posa ses mains sur ses cheveux rendus poisseux par le sang et la sueur. Il se détendit légèrement et laissa aller sa tête contre son ventre. Elle sentit des larmes brûlantes couler dans le creux de ses coudes, là où ses bras touchaient les joues d'Iriel.

# 5

# Tremblement de terre

— C'est à partir de ce moment-là que l'armée a arrêté de se déplacer quand Shamguèn s'en prenait à un campement d'elfes sauvages, dit Iriel quand elle revint à la réalité.

Il avait encore l'index appuyé sur son pendentif. Comme si c'était ce qui l'avait maintenue debout pendant sa vision, elle vacilla quand il le retira. Les jambes molles, elle s'assit par terre, sans égard aux pétales de muguet qui composaient sa robe.

Elle effleura distraitement l'intérieur de ses coudes. Elle pouvait encore sentir l'humidité des larmes d'Iriel sur sa peau.

— Pourquoi ? murmura-t-elle. Pourquoi les elfes sauvages ont-ils laissé les habitants de la Butte aux Grives se faire massacrer ?

Accoté contre un arbre, Iriel avait posé sa

main sur le pommeau de son épée. Les pierres rondes qui en ornaient la garde et la poignée dégageaient une lueur argentée qui rappelait celle de la lune. Ses yeux étaient invisibles dans l'ombre de ses orbites. Il ne répondit pas.

— Pour les mêmes raisons qui les ont poussés à se rebeller aujourd'hui, fit la voix d'Éléssan au-dessus d'eux.

Il se posa lestement dans l'herbe, suivi de Naïké. Iriel croisa les bras sur sa poitrine, un geste qui aurait pu être interprété comme un signe de défi, mais qui n'était que sa façon à lui de s'effacer pour laisser la place à son ancien camarade de l'Académie. C'était un des rares elfes à qui il adressait la parole et, sans qu'Aïnako comprenne pourquoi, c'était aussi le seul à qui il semblait vouer un certain respect. Elle se leva pour être à leur hauteur.

— Ça explique pourquoi les gens les croient responsables du meurtre d'Anlis, dit-elle en dirigeant son regard vers la cime des arbres où les citadins continuaient à célébrer. Tout le monde doit se dire que si les elfes sauvages sont capables de laisser des villageois se faire massacrer, ils sont capables de tout.

— Et ça te donne une motivation de plus pour aller avertir Kaï, ajouta Naïké. Les soldats ne seront peut-être pas tendres envers eux.

— Je suis donc aussi prévisible que ça?

— Non, c'est juste nous qui sommes d'excellents détectives.

— Et vous comptez me retenir contre mon gré, comme Iriel ?

— Personne n'a l'intention de te retenir, la contredit Éléssan. Iriel pas plus que nous.

Elle se tourna vers le chef de sa garde.

— Alors, pourquoi voulais-tu que je me rappelle ce souvenir en particulier ?

Il s'avança pour sortir de l'ombre et répondit d'une voix douce très inhabituelle chez lui :

— Les elfes sauvages ne sont pas les pauvres victimes que tu vois en eux. Et ne te fais pas d'illusion à mon sujet ; ce n'est pas pour rien qu'on dit que je n'ai aucune compassion.

Le contraste entre la tiédeur idéale de Lilibé et le froid humide de la forêt la fit frissonner. Elle resserra son manteau de laine blanche autour de ses épaules. Derrière elle, la cité s'était complètement effacée.

Elle ouvrit les ailes en même temps qu'Iriel et ils planèrent jusqu'au sol. Ses pieds s'enfoncèrent à peine dans la fine couche de neige collante. La semelle d'écorce souple de ses bottes n'était pas assez épaisse pour la couper complètement du froid.

Elle se sentait mieux, maintenant que les pétales de sa robe ne froufroutaient plus autour de ses jambes et que son épée pesait sur sa hanche. Elle était retournée au palais avec Iriel pour revêtir quelque chose de moins encombrant et prendre son arme, pendant qu'Éléssan et Naïké se chargeaient du moyen de transport.

Elle posa sa main sur le pommeau translucide et sa lumière s'activa d'elle-même. Les minuscules pastilles de diamant qui en parsemaient la garde et la poignée se mirent à scintiller d'un halo blanchâtre. Des résidus de souvenirs remontèrent le long de ses doigts. Rien de précis, juste une espèce d'impression de force qui la rendait un peu fébrile et qui aiguisait ses sens. On aurait dit que toute la lumière que sa mère avait projetée dans la lame avait doté la pierre d'une force propre.

Deux formes rousses apparurent au loin, surmontées par deux taches de couleur, l'une orange comme le feu, l'autre turquoise. Elles se rapprochèrent rapidement et furent près d'eux en quelques secondes.

— Je me suis dit qu'on attirerait moins l'attention avec deux renards qu'avec quatre, dit Éléssan en sautant à terre.

— En tout cas, il y en avait un qui avait hâte de te revoir! ajouta Naïké en le rejoignant au sol.

— Salut, Rantanplan, murmura Aïnako en se mettant sur le bout des pieds pour gratter l'oreille du renard.

Rantanplan couina et se mit à caracoler en glapissant joyeusement. L'autre renard se contenta de s'asseoir devant Éléssan. Les oreilles pivotant d'un côté et de l'autre, il observait son congénère avec l'air de se demander quelle mouche le piquait.

Aïnako s'envola pour s'installer près du cou de sa monture. Elle lui chuchota quelques mots à l'oreille et il s'assit dans la neige en gémissant. Iriel s'approcha et lui tapota le bout du museau. Rantanplan lui lécha la main. Sa langue était au moins deux fois plus grande que lui et il aurait facilement pu l'avaler d'une seule bouchée. D'ordinaire si stoïque, Iriel sursauta et lui jeta un regard noir. Une étincelle amusée brilla néanmoins dans ses pupilles. Les animaux ne semblaient jamais lui taper sur les nerfs, contrairement à tous les elfes qu'il côtoyait.

— Bon, vous êtes prêts, les enfants? demanda Naïké. On n'a pas toute la nuit.

Iriel donna une légère tape sur le flanc de Rantanplan qui se mit tout de suite au galop. Il se donna alors un élan, battit des ailes et piqua un sprint dans les airs pour le rattraper. Il se posa sur sa croupe sans que l'animal ralentisse.

Quand ils arrivèrent au campement de Kaï, ils remarquèrent d'abord les objets abandonnés dans la neige. Ensuite, ils prirent conscience du silence.

L'estomac d'Aïnako se serra. Ils étaient arrivés trop tard.

Naïké poussa du pied quelques éclats de céramique qui avaient dû former un bol ou une assiette avant d'être dispersés un peu partout.

— Ils se sont probablement enfuis en apprenant que les soldats d'Élimbrel s'en venaient les arrêter, proposa-t-elle sans grande conviction.

— En déchirant leurs hamacs? interrogea Aïnako qui scrutait les arbres au-dessus d'elle.

Sa vue était meilleure que celle des trois autres. Elle avait hérité de la faculté des gnomes de percevoir le rayonnement de la pierre et, bien que les seuls cailloux des environs fussent à moitié enfouis sous la neige, c'était suffisant pour éclairer les parages.

Elle s'envola sans attendre de réponse. Ses compagnons la suivirent.

Le campement était désert. Les hamacs se balançaient au vent, en lambeaux. Des vêtements fripés étaient accrochés aux branches nues. De la vaisselle, des bijoux d'écorce et de carapaces d'insectes, des livres, des crayons, des bouts de papier, des centaines d'objets disparates traînaient sur les plateformes et les passerelles.

Il n'y avait pas un signe de vie, mais les branches grises étaient exemptes de neige. Le campement avait été abandonné dans la journée, puisqu'il neigeait encore au matin.

Sur un hamac à moitié éventré, Aïnako aperçut une des barrettes de Barbie avec lesquelles elle jouait quand elle était enfant. Elle les avait rapportées de chez tatie Vivi, l'été dernier, pour les offrir à Kaï. Elle s'approcha et remarqua les vêtements de son amie encore soigneusement rangés dans des fentes pratiquées le long du tronc. Il y avait aussi ses mocassins de cuir usé, ses colliers de fleurs séchées, sa brosse à cheveux et même un petit sachet de bonbons à la chlorophylle.

Sous un coussin de tiges tressées se cachait une petite pile de lettres ficelées. Elle les prit et reconnut l'écriture ronde d'Olian. Elle caressa l'encre bleutée en luttant contre l'envie de les ouvrir.

Une main se posa sur son épaule. Elle n'eut pas besoin de se retourner pour savoir à qui elle appartenait.

— Je suis sûre qu'elle est saine et sauve, dit tout bas Éléssan. Presque tous les hamacs sont déchirés, mais il n'y a pas une goutte de sang.

Aïnako acquiesça en avalant sa salive.

— Ils ont été attaqués, mais ils ont eu le temps de s'enfuir. Kaï est partie avec son sac. En tout cas, il n'est pas là. Son manteau non plus. Ni le diadème de Tsamiel; elle ne s'en sépare jamais.

— Mais ça n'a aucun sens, commenta Naïké en se posant près d'eux. Qui les aurait attaqués? Certainement pas l'armée d'Élimbrel.

— Des citoyens, dit Iriel.

Il était debout sur une des dernières branches, ailes ouvertes contre le ciel noir. Il fit un pas dans le vide et atterrit en position accroupie sur un bout de plateforme déchiqueté.

— C'est une explosion de lumière qui a fait ça, poursuivit-il en passant ses doigts sur le bois effiloché. C'est du boulot d'amateur.

Il se releva et désigna un des hamacs réduits en haillons.

— Et ce sont des ustensiles de cuisine qui ont fait ça.

Éléssan observa le campement détruit et deux plis verticaux se creusèrent entre ses sourcils.

— J'imagine mal un groupe de villageois décidant seul de venger la mort d'Anlis. Surtout avec autant de violence.

— Allons-nous-en, dit Iriel. C'était une erreur, de venir.

Aïnako le regarda d'un air buté. Il faisait tout le temps ça. Il prenait des décisions sans la consulter et s'attendait à ce qu'elle lui obéisse sans discuter.

— Je veux d'abord être certaine que Kaï va bien. On trouvera peut-être une piste, un signe qui nous indiquera par où ils sont partis.

— Ils sont partis en volant, Aïnako, dit Éléssan de sa voix paternelle. Il n'y a pas de piste. Iriel a raison, on devrait s'en aller. Il n'y a rien pour nous ici.

— Il faut qu'elle m'ait laissé un indice en cours de route, insista-t-elle. N'importe quoi, juste un mot pour me dire qu'elle est toujours en vie. Elle devait bien savoir que je ne la laisserais pas tomber, que je viendrais l'avertir, que…

Elle se tut, réalisant avec horreur que sa voix avait pris une note plaintive, presque pleurnicharde. Kaï lui aurait-elle vraiment laissé un indice ? Aïnako n'avait pas été une très bonne amie depuis quelques mois. Elle répondait toujours très en retard à ses messages et elle avait annulé les trois derniers rendez-vous qu'elles s'étaient fixés. « Obligations de reine », s'était-elle excusée. Elle eut envie de se taper le front avec une des barrettes en plastique.

— Ça m'étonnerait, dit Naïké en s'approchant d'elle. Quelqu'un qui fuit ne laisse rien qui risquerait de tomber entre les mains de ses poursuivants.

Son air affligé semblait dire qu'elle trouvait elle aussi qu'Aïnako n'avait pas été la meilleure des amies.

— Elle t'enverra peut-être un message quand les choses se seront calmées, reprit-elle avec une moue dubitative.

— Peut-être, répondit Aïnako sans y croire.

Elle devait bien admettre qu'il était inutile de s'éterniser au milieu des décombres. À regret, elle ouvrit les ailes en même temps que ses amis et sauta dans le vide. Ils atterrirent sans bruit sur le sol gelé, à côté des renards qui les attendaient couchés en boule entre deux racines proéminentes. Rantanplan bondit sur ses pattes, tandis que l'autre s'étirait en bâillant.

Aïnako regarda encore une fois autour d'elle en espérant très fort que Kaï surgisse de derrière un arbre. Mais tout était noir et silencieux. Seuls quelques cailloux luisaient ici et là, de plus en plus discrètement à mesure que la nuit pâlissait.

Elle poussa un soupir et... se pétrifia.

La terre s'était mise à vibrer. Une légère vibration, à peine assez forte pour lui chatouiller la plante des pieds, mais qui augmentait rapidement. Un tremblement de terre? Non, c'était trop localisé et pas assez profond. Elle jeta un coup d'œil anxieux aux autres.

— Qu'est-ce qui se passe? demanda Éléssan, soudain tendu.

Aïnako réalisa que ses amis ne sentaient rien du tout.

— Il y a quelque chose qui remue le sol en dessous de nous. Ça se rapproche plutôt vite. La terre est trop gelée pour que ce soit autre chose que des gnomes.

Les deux rides verticales réapparurent entre les sourcils d'Éléssan.

— On remonte. Je veux savoir ce qu'ils nous veulent, mais pas au sol.

Ils fléchirent les genoux, se donnèrent un élan en poussant le sol et décollèrent pour regagner les branches qu'ils venaient de quitter. Les renards filèrent se cacher. Iriel sortit son épée le premier. Même à travers le bois de l'arbre, Aïnako pouvait sentir les vibrations augmenter.

La terre s'ouvrit avec un grondement sourd et quatre silhouettes noires en jaillirent.

# 6

## Des rebelles partout

Les gnomes levèrent leur visage encagoulé vers eux.

— Vous vous cachez ? fit une voix hautaine.

Aïnako reconnut Varénia, la nouvelle reine d'Okmern.

— Pas du tout, répondit Éléssan d'un ton plaisant. Si nous avions voulu nous cacher, nous aurions laissé nos épées au fourreau.

Même s'ils n'avaient pas allumé leur lumière, leurs épées luisaient de la couleur de la pierre dans laquelle elles avaient été taillées. Varénia rit de son rire de reine, sans éclat et la bouche fermée.

— Vous voyez bien que ce n'est que moi, reprit-elle. Pourquoi ne pas ranger vos armes et descendre nous dire bonjour ?

Éléssan eut un rire bon enfant.

— Nous rangeons volontiers nos armes…

Il donna l'exemple. Aïnako et Naïké l'imitèrent, mais Iriel hésita. Éléssan lui jeta un regard appuyé et il finit par obéir.

— … mais, si ça ne vous fait rien, poursuivit-il en baissant à nouveau la tête vers les gnomes, nous resterons ici. Ce n'est pas tous les jours qu'une reine emprunte une voie aussi peu officielle pour en rencontrer une autre.

Varénia rit encore.

— Vous avez bien raison, commandant. Nous montons, alors.

Les quatre gnomes sortirent des gants noirs de leur sac. Un bref éclat argenté brilla au moment où ils les enfilèrent et Aïnako vit qu'ils étaient recouverts de pointes métalliques.

Les elfes se raidirent pendant que les gnomes plaquaient leurs paumes contre le tronc et commençaient à grimper, le bout de leurs bottes étant déjà pourvu de solides crampons. Iriel posa la main sur le pommeau de son épée, mais ne la sortit pas du fourreau.

L'escalade fut laborieuse. Des bouts d'écorce restaient parfois attachés à leurs gants et Aïnako pouvait voir leurs jambes trembler sous l'effort. Elle ne put s'empêcher d'admirer leur sang-froid. Les gnomes détestaient l'air libre et encore plus les hauteurs, et ceux-là bravaient sans rechigner la gravité.

Lorsqu'ils arrivèrent à leur niveau, Aïnako fit un pas vers eux pour les aider, mais Iriel la retint. Éléssan et Naïké ne bougèrent pas non plus, les yeux rivés sur les visiteurs.

Les gnomes parvinrent à s'asseoir tant bien que mal sur la branche qui faisait face aux elfes. Les pieds dans le vide et les doigts solidement agrippés à l'écorce, ils ne semblaient pas très à l'aise. Tous leurs muscles étaient contractés.

— Bon, dit Varénia en essayant de retrouver ses inflexions altières malgré son souffle perturbé, vous voyez bien que nous ne vous voulons pas de mal. Aucun kgag ne surgira du sol pour vous capturer.

Elle se ménagea une pause pour les laisser se remémorer les filets aux mailles enchâssées de diamants noirs dont Valrek s'était servi pour les capturer l'été précédent.

— Asseyez-vous donc, reprit-elle après quelques secondes, nous serons plus à l'aise pour discuter. Comment allez-vous en cette nuit d'équinoxe ? La fête était réussie ?

On entendait le sourire dans sa voix, mais un sourire prétentieux, à la limite du mépris. Varénia pouvait se montrer courtoise à ses heures, mais jamais chaleureuse. Aïnako interrogea Éléssan du regard. Pouvaient-ils lui faire confiance ? Il hocha la tête et s'assit le premier.

Seule Naïké resta debout, les poings sur les hanches et les pieds bien à plat sur la branche.

— Si tu nous disais plutôt ce qui nous vaut l'honneur de ce traquenard ?

Varénia la toisa quelques secondes avant de demander d'une voix gentillette :

— Ta maman ne t'a jamais appris à vouvoyer tes supérieurs ?

— Tu n'es pas ma supérieure, répondit Naïké sans sourciller. En fait, en ce moment, je devrais plutôt te considérer comme une ennemie potentielle. À ce que je sache, ce sont les ennemis qui tendent des embuscades, pas les alliés.

— Un traquenard, une embuscade ! Tu y vas un peu fort, tu ne trouves pas ? Ce n'est qu'une visite amicale.

Ce fut Éléssan qui répondit.

— Vous surgissez sous nos pieds sans vous annoncer. Si Aïnako ne vous avait pas sentis approcher, vous auriez pu nous aspirer sous terre sans nous laisser le temps d'émettre un cri. Comment voulez-vous que nous voyions cela autrement ?

Un sourire d'extrême satisfaction se dessina sur le visage de Naïké.

— Tu vois ? Je ne suis pas la seule à trouver que tu n'es qu'une hypocrite.

— Ah ! Naïké, Naïké… toujours aussi irrespectueuse envers l'autorité, à ce que je vois.

— Ah ! Varénia… toujours aussi désarmée à plus de quatre mètres dans les airs, à ce que je vois.

Un des gnomes entourant Varénia n'apprécia pas cette menace à peine voilée faite à sa reine. Il fit mine de se lever. Les crampons de ses gants crissèrent en déchirant l'écorce, mais Varénia se tourna vers lui en secouant la tête.

— Ça va, Karask ; Naïké me taquine. C'est son truc ; elle est comme ça avec toutes les reines. Ça doit avoir un rapport avec sa taille de fillette prépubère. Son cerveau est resté au stade de la crise d'adolescence et elle a besoin d'insulter tout le monde pour se faire croire qu'elle est quelqu'un.

Les yeux lilas de Naïké flambèrent de colère. Elle ouvrit la bouche, mais Aïnako la devança.

— Pourquoi es-tu ici, Varénia ? Ça doit être important, pour que tu nous surprennes en pleine nuit au lieu d'organiser une rencontre officielle.

— Je tenais à te voir seule, dit Varénia.

— Sans Taïs, tu veux dire ?

— Sans Taïs.

Aïnako ne sut si cette révélation la flattait ou la vexait. Varénia lui faisait-elle davantage confiance ou la croyait-elle simplement plus facile à manipuler ?

— J'ai décidé de suivre ton conseil, annonça la reine d'Okmern.

Aïnako attendit qu'elle poursuive, mais, comme Varénia se taisait, elle demanda :

— Mon conseil ? Quel conseil ?

— Me rebeller contre mon gouvernement.

Aïnako crut d'abord qu'elle plaisantait, mais l'attitude des gnomes fit mourir son rire dans sa gorge. Leur visage noir était tourné dans sa direction, immobile. Elle battit des paupières.

— Tu... C'est pas sérieux.

— C'est on ne peut plus séricux, dit Varénia d'une voix effectivement très sérieuse.

— Mais je ne t'ai jamais conseillé ça.

— Bien sûr que si. Souviens-toi, c'était juste avant que tu partes chez cette vieille humaine.

Aïnako essaya de ne pas lui en vouloir pour son manque de respect envers tatie Vivi. D'ailleurs, Varénia ne lui avait pas vraiment manqué de respect. Dans ce monde, on ne voyait pas l'âge de la même façon que chez les humains. Quand ces derniers parlaient de vieillesse, ils pensaient à la mort et à la dégénérescence, mais, pour des êtres immortels, être vieux signifiait être sage.

— Nous parlions des problèmes que nous rencontrions avec nos conseillers, continua

Varénia. Tu m'as dit que la seule solution était peut-être de se rebeller contre nos propres gouvernements.

Aïnako allait répliquer quand le souvenir refit surface.

— Merde ! souffla-t-elle.

Elle se rappelait, maintenant. Elle avait rencontré Varénia par hasard dans la grotte de son père une des rares fois qu'elle avait réussi à s'évader du palais sans que personne s'en aperçoive, pas même Iriel qui la croyait occupée avec ses suivantes.

Elle s'était faufilée dans le tunnel et avait retiré ses chaussures pour essayer de capter des bribes de souvenirs par ses pieds. Comme d'habitude, la tristesse de son père l'avait frappée en premier. Et, comme d'habitude, elle avait eu beau se concentrer, aucune image précise ne lui était venue à l'esprit. Après une vingtaine de minutes de marche, elle avait débouché dans la grotte parsemée de flaques où la troupe menée par Éléssan s'était arrêtée plusieurs mois auparavant, juste avant le grand assaut sur la place royale de Shamguèn. Ça lui avait fait bizarre de repenser à ça. On aurait dit un rêve.

— Tiens ! avait lancé une voix hautaine au moment où elle pénétrait dans la grotte. C'est rare qu'on te voit sans ton fidèle garde du corps.

Aïnako avait sursauté. Surprise, elle n'avait pas tout de suite pensé à saluer la reine d'Okmern selon les convenances. Puis elle s'était dit que Varénia aussi avait escamoté les protocoles et elle avait décidé d'attendre qu'elle s'explique.

Varénia s'était avancée avec son habituel sourire condescendant. Ses longs cheveux noirs étaient tressés et enroulés autour de son cou comme au temps où elle était princesse, mais les serpents tatoués sur ses mains remontaient encore plus haut sur ses bras et passaient sous les manches courtes de sa tunique pour envahir sa gorge, s'arrêtant à la ligne de sa mâchoire.

Elle avait pointé une crevasse dans la grotte.

— Si tu en agrandis un tout petit peu l'ouverture, tu tombes sur un tunnel qui débouche en Okmern.

— Qu'est-ce que tu fais là ? avait demandé Aïnako en laissant à son tour tomber le vouvoiement qu'elle avait toujours trouvé forcé de toute façon.

Elle se sentait étrangement sur la défensive. C'était sa grotte à elle, la grotte de son père.

— C'était aussi mon demi-frère, avait dit la gnome avec une intonation plus cordiale, comme si elle avait lu dans ses pensées.

La méfiance d'Aïnako s'était évanouie. Comment avait-elle pu oublier que le père de son père était également le père de Valrek et de Varénia ?

— Il te manque ?

Varénia avait haussé les épaules.

— Je ne le connaissais pas vraiment.

Elle avait fait une pause et contemplé les stalactites qui pendaient du plafond. Des gouttes tombaient par intermittence dans les flaques d'eau brouillée. Le rayonnement omniprésent de la pierre nimbait la scène d'une aura fantomatique. La gnome avait appuyé un doigt blanc sur la pointe d'une stalagmite.

— En fait, avait-elle nuancé en regardant de nouveau Aïnako, je n'ai jamais voulu apprendre à le connaître. On se croisait quand il rendait visite à mon père, mais c'est tout. Il a tenté quelques fois de m'approcher, mais je l'ai repoussé. Maintenant, je me dis que je n'aurais sans doute pas dû.

— Qu'est-ce qui t'a fait changer d'avis ?

Varénia s'était adossée à une colonne tortueuse. Elle était pieds nus. Elle n'avait donc pas peur qu'un autre gnome capte ce souvenir plus tard.

— Le pouvoir, avait-elle répondu avec une moue ambiguë. Être reine. Je sais qu'il dirigeait Shamguèn avec Taïs un peu comme toi, mais sans le titre de roi, et je sais qu'il détestait ça. Ses conseillers ne le respectaient pas.

Aïnako avait croisé les bras, dubitative.

— Taïs m'a toujours dit que Fælkor était aimé de tous.

L'autre avait ri en secouant la tête.

— Il était respecté des basses classes, de la plèbe, pas des gens qui comptent. Oh ! ne fais pas cette tête ! Tu sais bien que tout le monde n'a pas la même valeur, dans un royaume. On ne peut pas dire que l'élite le détestait, mais personne ne l'aimait non plus. Il manquait de personnalité. Il ne valait rien avec une épée et ne semblait pas être doté d'un autre talent particulier, même si Taïs lui offrait les meilleurs maîtres d'armes et de lumière de Shamguèn. Je crois qu'elle associait son dédain de la guerre à un manque de bravoure.

Aïnako avait tout de suite su que c'était vrai. C'était ça, la tristesse qu'elle ressentait partout dans la pierre. Pendant quelques minutes, on n'avait entendu que le bruit des gouttes qui tombaient.

— Mais ce qui est réellement étonnant, avait repris Varénia, c'est qu'il ait malgré tout réussi à devenir le favori de notre père. Valrek le détestait pour ça. Il les détestait tous les deux. Et moi aussi, je dois dire.

Aïnako avait scruté le visage blanc de son interlocutrice.

— Tu te sens coupable ?

Cette question avait semblé amuser Varénia. De toute évidence, la réponse était négative.

— Je me disais juste qu'en apprenant à connaître mon demi-frère j'arriverais peut-être à mieux comprendre mon père, lui qui même au creux de sa tombe peut se vanter d'être le roi le plus populaire d'Okmern. J'espérais découvrir quelque chose dans les souvenirs de Fælkor qui expliquerait ce qu'un grand roi comme Melkor voyait en lui.

Aïnako avait décroisé les bras. Son cœur s'était mis à cogner.

— Tu as réussi à capter des souvenirs de mon père ?

— Non, mais je m'y attendais. Il faut toucher la pierre exactement au bon endroit et il a manifestement fait très attention de laisser le moins de traces possible.

L'espoir d'Aïnako était retombé lourdement au fond de sa poitrine. Varénia avait poursuivi :

— Je croyais que ça m'aiderait à devenir moi-même une grande reine, adulée par son peuple et estimée par son gouvernement. Parce qu'en ce moment, si la plupart des habitants d'Okmern ne me détestent pas, je ne peux pas en dire autant de mes conseillers. C'est tout juste s'ils ne me jettent pas des asticots pourris pendant les réunions.

Cette révélation avait surpris Aïnako. Elle

croyait que Varénia était une sorte de Taïs. Elle avait essayé de rire.

— On n'est peut-être pas si différentes que ça, après tout.

Varénia avait relevé la tête et haussé les sourcils.

— Nous sommes très différentes. Toi, tu as de la difficulté à te faire respecter parce que tu ne te respectes pas toi-même. Moi, mes conseillers me méprisent parce que je suis une femme. En Okmern, les femmes n'ont pas l'habitude d'occuper des postes importants.

— Alors pourquoi ne te rebelles-tu pas contre ton gouvernement comme tu t'es rebellée contre ton frère ? avait suggéré Aïnako, insultée par l'attitude présomptueuse de Varénia.

Elle n'était pas sérieuse, ou si peu, mais l'idée avait fait son chemin dans l'esprit de la reine d'Okmern. Assise sur la branche avec ses trois gardes du corps, elle insista.

— Tu avais raison.

Aïnako se frotta le front pour revenir au présent.

— Je plaisantais.

— En es-tu sûre ? demanda la gnome d'une voix légèrement moqueuse. Je crois au contraire que tu exprimais le fond de ton cœur. C'est toi qui rêves de te rebeller contre tes conseillers.

Puisque la loi interdit de les mettre à la porte et qu'il faut l'appui de la majorité du conseil pour faire changer une loi, nous nous retrouvons dans une impasse. C'est mon frère qui a compris comment ça marche. Dès qu'il est arrivé au pouvoir, il a fait tuer tous les conseillers de notre père. Tous sans exception, jusqu'au plus insignifiant. Il faut dire qu'il avait l'armée de son côté.

— Toi aussi, fit remarquer Aïnako. C'est grâce à l'armée que tu as réussi à renverser ton frère et à devenir reine, non ?

Varénia ne répondit pas tout de suite. Aïnako aurait payé cher pour voir son expression. Elle détestait ces cagoules sans yeux ni bouche. Elle avait toujours l'impression que celui ou celle qui se trouvait dessous se payait sa tête.

— Tu me crois capable de tuer tous mes conseillers de sang-froid, aussi stupides et cruels soient-ils ? demanda la reine d'Okmern d'une voix dure. Nous ne sommes plus en guerre ; ce serait des meurtres.

Naïké, qui se tenait toujours les poings sur les hanches, debout en face des gnomes, plissa les yeux.

— Tu t'es rebellée contre eux. Ça revient au même, non ? S'ils s'opposent à toi, tu n'auras pas le choix de leur déclarer la guerre.

Quatre têtes noires se levèrent vers elle.

— Je veux avoir la population de mon côté. Si je tue mes conseillers, je ne vaudrai pas plus que mon frère.

Naïké ne parut pas très convaincue.

— Ça ne nous dit pas ce que tu fiches ici.

Varénia laissa fuser un rire froid avant de se tourner vers Aïnako.

— Je savais que tu ne pourrais jamais croire que ta copine aux boudins jaunes est responsable du meurtre de ce gouverneur. J'ai posté un garde près de l'entrée de Lilibé en lui demandant de nous avertir dès que tu sortirais. Ha, ha ! ne te fâche pas, tu es comme ça. Tu penses que tout le monde est bon et gentil. Ce ne serait pas un défaut si tu n'étais pas reine.

Aïnako sentit le sang envahir ses joues. Elle espéra qu'il ne fasse pas encore assez clair pour que ça se voie.

— Qu'est-ce que tu veux, Varénia ?

— Tu ne devines pas ?

Elle secoua la tête en haussant les épaules.

— Ton aide, dit la gnome.

— Mon aide ?

— L'aide de Shamguèn.

— Tu sais bien que je n'ai aucun pouvoir.

Varénia se pencha pour mieux voir Éléssan et Iriel qui étaient restés en retrait, silencieux, prêts à réagir au moindre mouvement hostile.

— Tu as des amis haut placés dans l'armée. Ils n'auraient qu'à…

— Il n'en est pas question ! la coupa Aïnako. Je ne pourrais jamais demander à l'armée de Shamguèn de soutenir ta rébellion.

Varénia soupira.

— Si je retrouve l'entièreté du pouvoir d'Okmern, tu auras une alliée de taille pour affirmer ton pouvoir sur Shamguèn.

Aïnako en eut le souffle coupé. Affirmer son pouvoir sur Shamguèn ?

— Et je t'aiderai à arrêter les vrais coupables, ajouta Varénia sur un ton sibyllin.

— Tu penses que les elfes sauvages sont innocents ?

— Je n'ai pas dit ça. J'ai dit que je t'aiderais à arrêter les vrais coupables, peu importe leur identité.

Naïké émit un grognement sarcastique.

— Que pourrais-tu bien faire de plus que les enquêteurs d'Élimbrel ?

Varénia poussa un second soupir.

— Je n'ai aucun préjugé. Du moins pas en ce qui concerne les elfes sauvages par rapport aux elfes… non sauvages.

Elle ramena son regard sur la seconde reine

de Shamguèn et la scruta avec intensité. Aïnako décida qu'elle en avait marre de cette conversation qui ne menait nulle part.

— Je ne peux quand même pas ordonner aux soldats de partir en guerre contre les conseillers d'un autre royaume ! De toute façon, ils ne m'écouteraient pas. J'aurais besoin de l'appui du conseil et, s'il y a une chose que je n'ai pas, c'est bien ça. J'aimerais pouvoir t'aider, mais je ne vois vraiment pas comment je ferais.

— Alors, tu ne m'aides pas, dit sèchement Varénia. Je croyais que tu étais différente, mais je vois que Taïs a déjà réussi à te mouler à son image. Ta part de sang gnome n'est apparemment pas suffisante pour te permettre de penser par toi-même.

— Ce n'est pas ça ! protesta Aïnako.

Elle aurait voulu se justifier davantage, mais la gnome ne lui en laissa pas le temps.

— Je suppose qu'on se reverra lors d'une prochaine rencontre officielle.

— Je croyais que tu t'étais rebellée contre ton gouvernement.

— C'est vrai, dit Varénia en regardant en bas, sauf que le gouvernement ne le sait pas encore. J'attends le moment propice pour lui annoncer la bonne nouvelle.

Les quatre gnomes se jetèrent dans le vide.

Une légère dépression creusa le sol au moment où ils atterrirent. L'impact ne fit aucun bruit et ils plongèrent dans la terre comme dans de l'eau.

# 7

## Kaï et Olian

Quelques secondes s'écoulèrent. Aïnako était restée assise, mais Éléssan et Iriel s'étaient levés. Naïké, qui était déjà debout, émit un sifflement admiratif.

— Je ne l'avouerais jamais devant Varénia, mais on ne peut certainement pas accuser les gnomes de manquer de témérité.

Un jappement retentit. Rantanplan revenait en bondissant.

Aïnako voulut s'envoler pour aller à sa rencontre, mais Iriel posa une main ferme sur son épaule. Il la considéra d'un œil dur, l'air de dire: « Ça va pas, la tête? ». Elle se retint de lever les yeux au ciel. Quel danger pouvait-il craindre? Varénia n'allait quand même pas revenir l'attaquer.

Quand Rantanplan fut en vue, Aïnako distingua une forme sur son dos. Une forme avec des ailes et d'immenses boudins jaune citron. Un cri de joie lui échappa.

Sur le dos du renard, Kaï se redressa, ouvrit les ailes et décolla. Faisant fi des craintes d'Iriel, Aïnako s'élança vers son amie. Un oiseau passa dans le ciel pâle de l'aube et une autre forme ailée se laissa tomber près de Kaï. Surprise, Aïnako freina. Ses trois compagnons furent instantanément à ses côtés, l'épée à découvert.

Elle rit de soulagement en reconnaissant Olian. Il portait encore l'habit aux boutons en bourgeons dans lequel elle l'avait aperçu au bal quelques heures plus tôt, mais il avait passé son manteau d'armée par-dessus. Elle voulut se jeter dans ses bras, mais quelque chose dans son regard l'arrêta. Il semblait méfiant et elle constata que Naïké était la seule à avoir rengainé son arme. Iriel et Éléssan avaient baissé la leur, mais un voile lumineux en enrobait toujours la lame.

— Qu'est-ce que vous faites ? leur demanda Aïnako d'une voix où la colère perçait.

Elle ne comprenait pas leur attitude. Et elle ne supportait pas de voir cette expression presque farouche sur le visage de Kaï et d'Olian.

— Posons-nous pour discuter, dit Éléssan… Pas au sol, ajouta-t-il en voyant Kaï battre moins vite des ailes pour se laisser descendre.

Il leur fit signe de le suivre et s'engouffra

dans les aiguilles enneigées d'un grand pin rempli de cônes pointus.

— Qu'est-ce que vous faites là ? demanda-t-il quand ils furent tous à l'abri.

Olian et Kaï se regardèrent. Aïnako avait l'impression qu'ils formaient une équipe et qu'elle-même se trouvait dans l'équipe adverse.

— Je ne pensais pas que tu sortirais du palais, commença Olian.

Ses yeux étaient tristes. Aucune lueur rouge ne brillait derrière le marron de ses iris.

— Tu ne pensais pas que je voudrais aller voir mon amie injustement accusée de meurtre pour l'avertir que des soldats s'en venaient l'arrêter ?

Olian sourit sans joie.

— Je savais que tu voudrais y aller… je ne pensais pas que tu le ferais.

Aïnako allait répliquer que rien n'aurait pu l'empêcher d'aller voir son amie, mais elle fut soudain prise de doutes. Aurait-elle vraiment défié Iriel s'il avait refusé de la laisser sortir ? Ou aurait-elle abandonné au premier obstacle ? Elle ne savait pas. Et elle se détesta de ne pas savoir.

— En passant, dit Kaï de sa voix de souris, les elfes sauvages n'ont rien à voir dans l'assassinat du gouverneur. Tout ce qu'on a fait, c'est modifier l'apparence de certains arbres, histoire de mélanger les promeneurs. On a fait pousser des branches là où il n'y en avait pas et on a effacé des blessures d'écorce. Quelques elfes se sont perdus, et même deux ou trois humains, mais personne n'en est mort, je vous assure.

Aïnako émit un faible rire admiratif.

— Vous avez modifié l'apparence des arbres ?

Kaï commença à sourire, mais la voix d'Éléssan l'arrêta.

— Comment peux-tu être sûre qu'aucun elfe sauvage n'est responsable de la mort d'Anlis ? Tu ne peux pas être au courant des faits et gestes de chacun d'eux.

Les oreilles de Kaï virèrent au marron. Aïnako le fusilla du regard. Qu'est-ce qui lui prenait de l'accuser ? Qu'est-ce qui lui prenait d'être aussi glacial ? Éléssan se radoucit.

— Je ne crois pas que tu sois responsable, Kaï, mais rien ne prouve que certains elfes sauvages ne sont pas mêlés à cette affaire.

— Comme rien ne prouve qu'ils le sont ! rétorqua Aïnako.

— Vous allez m'arrêter ? questionna Kaï.

Elle n'était même pas outragée. Elle se contentait de fixer le commandant de Shamguèn avec un air de défi. Sous sa cape de fourrure de lapin, elle avait enfilé une simple robe brune, discrète et passe-partout. Elle avait probablement délaissé ses vêtements d'elfe sauvage de peur qu'on l'identifie au premier regard.

Éléssan garda le silence. Son épée était toujours dans sa main, mais, au moins, sa lumière dorée s'était éteinte.

— Tu ne vas quand même pas l'arrêter! s'emporta Aïnako en voyant qu'il ne répondait pas.

C'était complètement surréaliste.

— Bien sûr que non, murmura Éléssan sans lâcher Kaï des yeux.

Mais il ne rengaina pas son épée. Iriel qui se tenait en retrait dans l'ombre ne rengaina pas non plus. Sa lame brillait toujours d'un halo bleu argenté.

Personne ne parla pendant de longues secondes. Enfin, Olian demanda doucement:

— Pourquoi t'es venue, Aïnako?

Ses longues tresses blondes amaigrissaient son visage et lui donnaient un air presque désespéré. Aïnako ne comprit même pas sa question. Elle ne comprenait rien. Tout marchait de travers. Elle ne put que le dévisager, la bouche à moitié ouverte comme une débile.

— Ça fait des semaines qu'on n'a pas eu de tes nouvelles. On pensait que...

Il ne termina pas sa phrase. Aïnako n'arrivait toujours pas à parler. Ils pensaient quoi?

Qu'elle les avait oubliés? Qu'elle ne voulait plus être leur amie ? Qu'elle était devenue aussi snobinarde que Taïs ?

— C'est seulement aujourd'hui que j'ai appris que les elfes sauvages s'étaient rebellés, parvint-elle enfin à chuchoter.

— Tu l'aurais su si tu n'avais pas refusé toutes mes invitations depuis trois mois, répondit Kaï. Pourquoi crois-tu que j'ai arrêté de passer par les réseaux officiels ?

Aïnako dut s'appuyer contre une ramification de la branche où elle se trouvait. Elle avait effectivement remarqué que son amie avait commencé à envoyer ses propres messagers, mais elle ne s'était pas posé de questions. Ça ne lui avait même pas paru bizarre. Elle était trop préoccupée par ses propres problèmes.

— C'est pas grave, dit Kaï. T'avais autre chose en tête. Nos ennuis doivent te paraître bien petits…

— Non ! J'ai juste… Je ne vois plus personne, ces temps-ci, à part Taïs et mes gardes. J'ai toujours des réunions et des leçons et encore des réunions auxquelles je ne comprends jamais rien. Mais je te promets que ça va changer. Je te promets que je vais trouver les vrais coupables. Je te promets que tout va redevenir comme avant.

Ses yeux obliquèrent vers Olian. Il sourit

un peu, mais ne sembla pas y croire. Kaï aussi paraissait sceptique.

— Qui a attaqué votre campement ? demanda Naïké. Des gens d'Élimbrel ? Pas des soldats, quand même ?

Aïnako se traita de nouille. Pourquoi n'avait-elle pas pensé à le lui demander elle-même ? Pas étonnant que ses amis soient fâchés contre elle.

— Des gens des villages alentour, répondit Kaï en plissant le nez. Ils sont arrivés avec des poêlons et des couteaux à légumes en nous traitant d'assassins. On s'est défendus, mais on est partis dès qu'ils ont commencé à nous jeter des boules de lumière. On savait qu'on se ferait accuser s'il y avait des blessés. Je n'étais même pas au courant, pour Anlis. C'est Olian qui me l'a appris.

Elle ne semblait pas furieuse, juste écœurée. Aïnako se tourna vers Olian. Il la regardait déjà. Elle lui sourit pour qu'il sache qu'elle ne lui en voulait pas d'être allé voir Kaï sans elle. Il baissa les yeux et dit en contemplant ses bottes vertes :

— Il faut que je rentre. Je dois être à l'Académie dans quelques heures et je ne peux pas me permettre de manquer les cours. Tout le monde sait que j'appuie la rébellion des elfes sauvages et je ne voudrais pas qu'on pense que je me suis absenté pour les aider à organiser leur fuite.

Personne n'ajouta quoi que ce soit. Aïnako comprit que c'était à elle de décider si elle voulait rester avec Kaï ou repartir avec Olian. Elle ne savait pas quoi faire. Elle ne voulait perdre ni l'un ni l'autre. Finalement, Kaï dut avoir pitié d'elle, car elle lui offrit un faible sourire mi-triste mi-espiègle.

— Rentre à Lilibé. On pourra se reparler plus tard, si tu jures de ne plus bouder mes messages.

Aïnako jura. Elle avait envie de pleurer. Kaï était encore son amie. Kaï ne la détestait pas.

— J'étais sûre que tu viendrais, dit encore Kaï avant de les saluer et de s'envoler vers la ligne rose de l'horizon.

Quand elle eut disparu, Iriel rangea son épée et se posa sur la branche qu'elle venait de quitter, près d'Olian.

— Tu as une monture ? demanda-t-il.

Olian pointa un des arbres.

— Le hibou brun, là-bas.

— Je le prends pour surveiller la route. Vous vous arrangez pour vous partager les renards.

Rantanplan filait entre les troncs. Le vent était froid sur le visage d'Aïnako. Derrière elle, Olian ne disait rien.

Elle essayait de serrer ses ailes contre elle, de les rendre toutes petites pour éviter de le gêner. Pas qu'il s'en serait plaint – il ne se plaignait jamais de rien –, mais elle ne voulait pas l'importuner. Elle tentait de prendre le moins d'espace possible. Elle s'autorisait à peine à respirer. À quel moment leur relation s'était-elle autant détériorée ?

Lorsqu'ils stoppèrent au pied d'un arbre, non loin de celui où se cachait la porte d'entrée de Lilibé, elle se décida à lui adresser la parole. Sans se retourner, elle dit d'un ton qu'elle espérait désinvolte :

— Je pensais peut-être assister à l'entraînement, demain… enfin, tout à l'heure.

Elle marqua un temps d'arrêt. Sa voix était trop aiguë ; elle sonnait faux.

— Si ça ne te fait rien… ajouta-t-elle tout bas.

Elle se força à le regarder. Elle grelottait, mais doutait que la température en soit la cause. Elle avait tout le temps froid quand elle était nerveuse. Olian prit une mèche de sa queue de cheval et la fit glisser entre ses doigts. Il recommença plusieurs fois, en silence. Aïnako avait le cou tordu, mais elle ne bougea pas.

— Ça me ferait plaisir que tu sois là, murmura-t-il.

La tristesse n'avait pas tout à fait disparu de son regard, mais Aïnako était certaine qu'ils pourraient se réconcilier. Tout allait s'arranger. Ils se verraient à l'entraînement, ils passeraient la journée ensemble, ils pourraient manger ensemble, se plaindre de leur nuit blanche ensemble et se foutre des commérages des autres soldats ensemble.

Ils déployèrent leurs ailes et, sans mettre pied à terre, allèrent caresser le museau du renard.

— Au revoir, Rantanplan, dit Aïnako.

Olian sourit.

— J'avais oublié que tu lui avais donné un nom. Alors, Rantanplan, tu aimes ton nom ?

Aïnako ne put s'empêcher de rire. Olian avait toujours eu du mal à prononcer ces trois syllabes. Le son « an » était trop nasal pour la langue elfe et il rajoutait des diphtongues partout, comme dans son propre nom.

Rantanplan poussa un glapissement joyeux. Il adorait son nom, même s'il n'en saisissait pas le concept. Les renards avaient beau être de nature plutôt indépendante, la notion d'individualité leur était étrangère. Les elfes s'attachaient rarement à un animal en particulier. Pourquoi s'enticher d'un être qui mourra dans quelques années? Le nom qu'Aïnako avait choisi leur paraissait également bizarre, surtout quand elle leur expliquait d'où il provenait. Pourquoi donner à un renard le nom porté par un chien ?

Dès qu'elle avait vu ce renardeau maladroit et un peu nigaud qui traînait toujours derrière ses frères et sœurs, elle avait eu envie de l'adopter. Quelques mois plus tard, il était devenu le grand renard encore un peu nigaud qu'elle adorait.

Elle déposa un baiser sur la truffe de Rantanplan et suivit Olian jusqu'à la branche où se cachait l'entrée de Lilibé. Éléssan et Naïké étaient déjà là. Iriel, qui tournoyait au-dessus d'eux depuis un moment, sauta de son hibou pour les rejoindre. Ils attendirent une minute, mais aucune sentinelle ne vint les accueillir. Ce n'était pas normal. Instinctivement, ils posèrent la main sur leur épée.

— Olian, dit Iriel, va voir ce qui se passe.

Aïnako se tourna vers lui, alarmée.

— Pourquoi lui ? On devrait y aller tous ensemble, si tu penses que c'est dangereux.

— Je suis le moins indispensable, dit doucement Olian.

Il n'y avait aucune amertume dans sa voix. Il faisait son devoir de soldat, voilà tout. Aïnako fut éberluée. Il n'y avait que les militaires pour voir les choses ainsi. Pour eux, un soldat n'était qu'un outil, anonyme et interchangeable. Mais Olian n'était pas anonyme, il était leur ami. Elle allait le lui dire quand Éléssan dégaina son arme.

— Aïnako a raison. Mieux vaut y aller à plusieurs.

Il adressa un regard insistant à Iriel qui acquiesça en sortant lui aussi son épée. Aïnako l'imita. Éléssan se tourna vers Naïké.

— Prête? demanda-t-il.

— Toujours, répondit Naïké.

Ils s'engouffrèrent tous les deux dans la porte et disparurent. Avant de les suivre, Olian posa les yeux sur Aïnako. La flamme rouge s'était remise à briller dans ses iris. Il traversa de l'autre côté. Elle voulut lui emboîter le pas, mais Iriel l'empoigna par le bras.

— Lâche-moi! s'écria-t-elle. Qu'est-ce qui te prend?

Les doigts du chef de sa garde ne firent que s'enfoncer plus profondément dans sa chair. Elle l'aurait giflé. Éléssan n'avait donc jamais eu l'intention de la laisser les accompagner. Il avait jugé que c'était trop risqué pour elle, qu'elle était trop jeune ou trop inexpérimentée. Et Iriel s'était porté volontaire pour jouer les nounous.

Furieuse, elle se mit à fixer l'endroit où ses amis s'étaient volatilisés. Ils allaient certainement revenir les chercher d'un moment à l'autre et elle pourrait les invectiver jusqu'à en perdre haleine. Mais aucune ondulation ne vint troubler l'air. La porte invisible restait immobile. Aïnako trépignait. Qu'est-ce qu'ils pouvaient bien fabriquer ?

— Il a dû se passer quelque chose, dit-elle. Il faut aller voir s'ils vont bien.

Iriel ne broncha pas. Elle tenta de libérer le bras qu'il tenait toujours, mais il était trop fort pour elle.

— C'est quoi, ton problème ? lança-t-elle. Je croyais qu'Éléssan était ton ami !

— C'est justement pour ça qu'on ne bougera pas d'ici, répondit-il d'une voix qui ressemblait à un feulement.

Elle le toisa avec tout le mépris dont elle était capable.

— C'est vrai que tu n'as aucune compassion ! Nos amis sont peut-être en danger et tu ne lèves même pas le petit doigt pour les aider ?

Il raffermit encore sa prise sur son bras.

— Éléssan veut que tu restes ici, nous restons ici.

Folle de rage, elle recula en tirant sur son bras prisonnier. Elle ne réussit qu'à se faire encore plus mal. Iriel resta insensible à ses efforts. Elle le détestait !

Sans réfléchir, elle pointa son arme sur lui.

La lame de diamant cracha une vague de lumière blanche. Iriel s'était déjà enveloppé d'un bouclier bleu argenté. Il ne lâcha pas son bras. Ce fut à peine s'il cilla.

Aïnako sentit une foule d'émotions contradictoires monter de la pierre de son épée jusqu'à son esprit. Des images confuses se succédèrent devant ses yeux. Il s'agissait presque uniquement du visage d'Iriel. Ou plus précisément de son regard, glacial et inflexible. La colère de Silmaëlle vint se mêler à la sienne.

— C'est pour ça que ma mère t'a quitté, cracha-t-elle. Exactement pour ça! Tu es devenu ce qu'elle haïssait, un soldat sans âme qui ne fait qu'obéir aux ordres. Je l'ai vu dans ses souvenirs. Elle a dit que tu faisais comme ton père quand il était commandant et elle te détestait à cause de ça.

Les yeux d'Iriel se plissèrent et elle sut qu'elle avait touché un point sensible. Son seul point sensible.

— Elle était heureuse que Taïs l'oblige à épouser mon père, reprit-elle sans pouvoir s'arrêter. Elle était ravie d'avoir une excuse pour te quitter. Tu la rendais folle!

Elle accompagna ce dernier mot d'une explosion lumineuse qui embrasa tout son corps. Iriel lâcha prise et perdit pied.

Elle avait déjà bondi en direction de la porte.

Sa lumière continuait à jaillir par tous les pores de sa peau. Elle entendit Iriel hurler son nom. Sa voix se tut au moment où elle traversait la bulle de brouillard. Tout s'effaça et une quinte de toux la plia en deux.

Le brouillard était encore partout.

Mais ce n'était plus du brouillard, c'était de la fumée. Une fumée grise et âcre qui lui déchirait les poumons.

# 8

## Éclats de nacre et fleurs en cendres

Elle pirouetta sur elle-même pour refranchir la porte, mais se heurta au dôme de protection et rebondit dans la fumée. Elle n'avait plus de repères.

Affolée, elle cessa de battre des ailes et chuta jusqu'à ce que la fumée s'éclaircisse, ce qui lui permit de retrouver juste assez ses esprits pour se laisser planer jusqu'au sol.

Ce fut à cet instant que le bruit l'assourdit. Elle ne savait pas si c'était la fumée ou l'affolement qui l'avait empêchée d'entendre tous ces cris, mais ils étaient nombreux et cacophoniques. Des elfes éperdus volaient et couraient entre les troncs. La plupart portaient encore leurs habits de fête dont les couleurs claires étaient tachées de suie. La cime des arbres était engluée dans un épais nuage gris, qui, prisonnier du dôme de protection, formait un couvercle sombre et opaque d'un bout à l'autre de la cité.

Elle chercha ses amis des yeux, mais ne les vit nulle part. Elle se dirigeait vers le centre de la cité quand une poigne brutale la tira en arrière. Iriel n'avait jamais paru aussi menaçant.

— Où crois-tu aller ?

Aïnako éprouva l'envie puérile de lui crier qu'elle le détestait, mais elle se contenta de braquer ses yeux sur lui et de répondre d'une voix dans laquelle elle essaya de canaliser toute sa fureur :

— Je vais aider mes amis.

Les mâchoires d'Iriel se contractèrent encore plus. Il regarda autour d'eux. Des elfes pleuraient en appelant leurs proches, alors que d'autres beuglaient que c'était encore ces maudits elfes sauvages. Aucun ne semblait blessé. Aucun jet de lumière n'était visible au loin. Aucun bruit de combat ne leur parvenait.

Peu importait la cause de cette fumée, le danger semblait passé.

— Ne laisse pas même un quart de battement d'ailes entre nous, dit Iriel.

Il retira son manteau qu'il abandonna au sol et s'envola. Aïnako l'imita.

Plus ils approchaient du centre de la cité, plus la foule au pied des arbres se faisait dense et chaotique. Des elfes émergeaient de la fumée en toussant. Certains arboraient des plaies entourées d'étincelles colorées. D'autres étaient évanouis dans les bras de leurs camarades. Tous exhibaient une mine bouleversée.

L'herbe était couverte de débris de branches et de maisons, de guirlandes disloquées et de fruits éclatés. Des feuilles à moitié calcinées tourbillonnaient dans les airs.

L'inquiétude d'Aïnako se transforma en épouvante. On aurait dit que quelque chose avait explosé au centre de la cité. La fumée lui piquait la gorge. Elle aurait voulu aider les blessés et ceux qui étaient encore captifs du brouillard délétère, mais elle devait retrouver ses amis… et sa mère… et Taïs…

À côté d'elle, Iriel ne cessait d'accélérer. Elle avait déjà le souffle court et les ailes en feu, mais elle refusait de se laisser distancer.

Ce ne fut que lorsqu'elle vit l'air onduler au loin qu'elle perçut la chaleur sur son visage. Le nœud dans son estomac se resserra. Quelque chose avait en effet explosé au centre de la cité et maintenant quelque chose brûlait. Elle essuya la sueur qui coulait sur son front et dans son cou. Elle fut tentée d'arrêter quelqu'un pour lui demander ce qui s'était passé, mais elle n'osait pas ralentir.

Un reflet blanc attira son attention un peu plus bas. Un éclat de pierre immaculée était fiché dans un tronc. En passant au-dessus, elle plissa les yeux pour l'observer fixement. Ce n'était pas de la pierre, mais un morceau de nacre. Il y en avait des centaines, plantés dans les arbres ou éparpillés sur le sol.

Iriel se mit à voler encore plus vite. Elle fit de même en essayant de ne pas penser, de ne surtout rien imaginer, de seulement battre des ailes en regardant droit devant elle.

Une lueur orangée se révéla à travers la fumée. D'immenses flammes s'élevaient de l'arbre à l'écorce acajou pour aller se perdre dans l'épaisseur grise qui surplombait la cité.

Aïnako sentit le sang quitter son visage. Elle eut l'impression qu'il abandonnait son corps. Le feu avait dévoré le palais. Des ombres ailées se profilaient parfois sur le rouge des flammes. Des elfes tentaient de mater l'incendie à coups de seaux d'eau. Un rire hystérique s'étrangla dans sa gorge. Il faudrait des milliers de seaux pour venir à bout de cet enfer. Et il faudrait des milliers d'elfes pour les verser d'un seul coup.

— Aïnako !

Ils tournèrent la tête en ralentissant pour la première fois. C'était Zoïrim, l'ambassadeur de Silmaëlle. Ses cheveux bleu ciel lui collaient au visage, une coulisse de sang séché lui barrait une joue et son costume de pétales de marguerite était brûlé à plusieurs endroits, mais il souriait. Il souriait ! Comment pouvait-il sourire ?

— Nous te pensions perdue, dit-il en les rattrapant. Nous pensions que tu avais été enlevée.

Zoïrim avait gardé l'habitude de la tutoyer, mais seulement en privé. Il devait être passablement énervé pour oublier ainsi l'étiquette à laquelle il accordait tant d'importance. Il lui prit une main pour s'assurer qu'elle était bien réelle. Aïnako s'aperçut que son sourire était convulsif. Ses yeux étaient trop ronds et ils bougeaient trop vite.

— Personne ne m'a enlevée, dit-elle en tentant de reprendre son souffle. Qu'est-ce qui s'est passé ? Où est ma mère ? Et Éléssan, Naïké, Olian… et Taïs ?

— Vous pouvez discuter en chemin, dit Iriel.

Il désigna le palais en flammes du menton pour leur signifier de ne pas s'arrêter. Il avait lui aussi le souffle court et la sueur lui plaquait les cheveux sur le front, mais son flegme sembla rasséréner l'ambassadeur dont les mains cessèrent de papillonner nerveusement.

— J'ignore où se trouvent Leurs Majestés et vos amis. Le bal tirait à sa fin quand un immense fracas a tout secoué. Le palais s'est effondré et tout a pris feu.

Il regarda Aïnako d'un air désespéré. Elle

détourna les yeux. « Ne pas céder à la panique. Ne pas imaginer le corps de ma mère déchiqueté ou mes amis brûlés vifs en train d'essayer de la sauver. »

— Des soldats et des volontaires essaient de dégager les ruines du palais pour secourir ceux qui sont pris dessous, continua Zoïrim. Éléssan et les autres sont sûrement avec eux; d'autres sont partis chercher les réservoirs d'eau potable, mais ils ont tous été détruits et les ruisseaux ont été remplis de sable; il est impossible d'en pomper la moindre goutte; ceux qui ont perpétré cette attaque étaient bien préparés; à ce que je sache, ils n'ont pas été arrêtés. Nous ne savons plus quoi faire pour éteindre le feu. Nous ne pouvons que jeter de la terre et de la boue dessus. Il nous faudrait une averse, une bonne averse, mais, pour ça, il faudrait d'abord éliminer le dôme de protection; c'est ce que d'autres s'efforcent de faire; ça permettra au moins d'évacuer la fumée. Éléssan doit être avec eux; il a aidé à le bâtir, il pourra peut-être aider à le détruire. Qui eût cru que ce dôme censé nous protéger créerait un jour notre perte?

Iriel posa une main sur son épaule pour le faire taire. Zoïrim sursauta et se passa une main sur le front en décollant quelques mèches bleues qui restèrent hérissées sur les côtés de sa tête. Aïnako n'avait jamais vu Iriel tenter de rassurer qui que ce soit.

— On va secourir ceux qui sont restés là-dedans, dit-il. Zoïrim, vous allez rester près de nous et faire ce que je vous dis.

Zoïrim hocha la tête. L'ambassadeur de la reine d'Élimbrel n'avait pas d'ordre à recevoir du chef de la garde personnelle d'une des souveraines de Shamguèn, mais il ne s'offusqua pas.

— Tu… Vous… Ce n'est peut-être pas l'endroit approprié pour une jeune fille, osa-t-il quand même faire remarquer.

— C'est à moi d'en juger, répondit Iriel en jetant un coup d'œil à Aïnako.

Elle lui renvoya un regard déterminé. Elle n'avait aucune intention de les laisser risquer leur peau tout seuls. Iriel sembla comprendre. Elle se demanda ce qui avait bien pu le faire changer d'avis. Croyait-il vraiment que tout était sans danger? Ou était-ce ce qu'elle lui avait dit juste avant de faire exploser sa lumière sur lui qui avait ébranlé ses convictions?

La chaleur devenait de plus en plus insupportable à mesure qu'ils approchaient du palais. Le crépitement du bois en feu et le chuintement de la sève en ébullition étaient disproportionnés. La voix des soldats se lançant des ordres ou des appels en était assourdie.

— Là ! cria Aïnako.

Elle avait aperçu les couettes turquoise de Naïké sortant des ruines. Le vent produit par ses grandes ailes vert d'eau agita les flammes et fit voler des étincelles. Une dizaine de lueurs fuchsia dansaient sur sa peau émeraude et elle portait un elfe inconscient dans ses bras. Après l'avoir confié à un autre qui l'emporta loin du brasier, elle essuya son front couvert de suie et se prépara à replonger dans les flammes.

Aïnako, dont l'épuisement s'était évaporé à la vue de son amie, l'appela de toute la force de ses poumons endoloris. Naïké tourna la tête, une expression stupéfaite sur le visage, et s'éloigna du palais.

— Qu'est-ce que tu fais là ? demanda-t-elle.

— On vient vous aider, répondit Aïnako qui continuait à piquer vers le palais.

— Pourquoi tu n'irais pas plutôt retrouver Olian et les autres guérisseurs ?

Aïnako ne répondit pas. Sa place était ici. Elle avait besoin d'une tâche physique qui accaparerait tellement ses forces que la panique n'aurait pas l'occasion de s'emparer d'elle.

Pourtant, en arrivant devant le palais, elle crut que la terreur allait la submerger. Le feu ressemblait à un mur invincible. Elle voyait mal comment ils pourraient s'y aventurer sans que leurs ailes ou leurs cils s'embrasent.

Des elfes se frayaient néanmoins un chemin parmi les flammes et les branches noircies. Ils pénétraient seuls dans l'incendie et en ressortaient presque toujours avec un blessé sur le dos. Ils avaient tous le visage enduit de suie poisseuse, les vêtements en lambeaux et des brûlures sur tout le corps. Quand leurs manches prenaient feu, ils se contentaient de les éteindre à mains nues. Des quintes de toux menaçaient constamment de leur arracher la trachée.

— Tu vas y arriver, lui dit Iriel.

Encore une fois, l'étonnement lui fit oublier sa peur. Iriel lui adressa même un faible sourire. Elle en fut abasourdie.

— Ou tu peux encore changer d'avis et aller aider les guérisseurs, reprit-il.

Elle secoua la tête. Elle allait retrouver sa mère et Taïs et les sortir de là. Iriel hocha la tête.

— Parfait. Suis Naïké, je vais être juste derrière toi. Zoïrim, vous restez ici et vous aidez à transporter les blessés.

Un soldat sortait justement des flammes en portant un des siens dont le corps n'était qu'une grande blessure enveloppée de lumière éclatante. Aïnako reconnut un des cuisiniers du palais. Elle aurait voulu se rappeler son nom afin de l'inciter à tenir bon, mais elle se contenta de lui dire que tout irait bien. Le soldat remit le blessé à demi conscient à Zoïrim qui se laissa glisser jusqu'au sol, là où se trouvaient les guérisseurs.

Naïké attrapa l'avant-bras du soldat avant qu'il ne replonge.

— Zeïa, repose-toi une minute, on prend la relève.

— Pas le temps ! fit Zeïa en secouant la tête.

Il se glissa entre deux morceaux de murs ébréchés et disparut. Naïké le suivit et Aïnako suivit Naïké. Elle se retourna pour être sûre qu'Iriel était derrière elle. Son air calme, sûr de lui, la rassura. Dès qu'elle se posait ne fût-ce qu'une seconde sur un éclat de nacre ou de bois, elle enroulait ses ailes dans son dos pour les protéger du feu. La chaleur était telle qu'elle avait l'impression de sentir sa peau se consumer sur ses os.

Des squelettes de lierre noirci s'accrochaient aux quelques bouts de tour encore intacts. De rares taches de couleur apparaissaient parfois entre deux flammes sans qu'Aïnako puisse dire s'il s'agissait de fleurs plus résistantes que les autres ou des céramiques qui ornaient les portes et les balcons.

Quand ils survolèrent une forme ailée, carbonisée, empalée sur un éclat de nacre, elle tressaillit et inspira trop rapidement. Elle se mit à tousser sans pouvoir s'arrêter. Le bras d'Iriel l'attrapa par la taille, l'empêchant d'aller elle-même se faire transpercer par une branche d'acajou brisée. Il la regarda sans dire un mot, probablement pour éviter de se mettre à tousser lui aussi, mais son air sévère parlait pour lui : « Tu te calmes ou on ressort. »

Elle ramassa péniblement le peu de salive que sa bouche sèche arriva à produire. Elle avala et sentit la tiédeur de sa lumière à l'intérieur de sa gorge. Les elfes pouvaient retenir leur souffle quelques minutes, mais la peur accélérait les battements de son cœur et ses réserves d'oxygène se consumaient trop vite.

Elle remarqua qu'une odeur de graisse brûlée se mêlait à celle de la fumée et elle eut peur d'en vomir ses tripes. Cela lui rappela la bataille de la place royale de Shamguèn après le passage des feux follets. Elle recommença à tousser. Ce n'était plus un palais, mais une scène de cauchemar. Les rubans et les guirlandes de boutons de fleurs étaient en cendres. Il n'y avait plus de balcons, plus de murs, plus rien.

Deux soldats s'affairaient à déterrer des blessés ou des cadavres. Naïké se dirigea vers eux et les aida à extraire un elfe inanimé des décombres. Aucune lumière n'était visible sur son corps. Aïnako était sûre qu'il était mort, mais il fut soudain agité de soubresauts et il se mit à cracher du sang. Des nuages colorés envahirent sa peau. Sa lumière s'était d'abord concentrée sur ses plaies internes ; elle s'attaquait maintenant à ses brûlures externes. Les soldats glissèrent chacun un bras sous ses aisselles.

Elle aurait aimé leur demander s'ils avaient vu sa mère ou Taïs, mais elle savait qu'elle ne réussirait qu'à s'étouffer. Il semblait peu probable qu'il reste le moindre survivant, mais celui qu'ils venaient de sauver lui redonnait espoir. Les elfes guérissaient beaucoup plus vite que les humains. Même s'ils étaient plus morts que vifs, il suffisait que leur lumière referme leurs blessures plus vite que le feu ne les aggravait.

Aïnako aida Iriel et Naïké à déplacer plusieurs gros débris, mais les premiers corps qu'ils découvrirent n'étaient que ça, des corps. Elle se demandait chaque fois si, en essayant de dégager un blessé, ils n'en ensevelissaient pas un autre. Ses mains étaient ensanglantées et continuellement entourées de lumière blanche. Elle toussait sans arrêt, même si elle essayait de respirer le moins possible. Elle avait les yeux qui brûlaient. De grosses gouttes de sueur sortaient de ses pores pour s'évaporer sur-le-champ. N'eussent été Iriel et Naïké qui s'affairaient avec un calme et un savoir-faire déconcertants, elle aurait probablement succombé à la démence.

Quand une plainte s'éleva d'une pyramide d'éclats de verre, d'ambre et de nacre, elle redoubla d'efforts et vit ses compagnons en faire autant, une lueur fébrile dans leurs yeux rougis. Une petite main féminine, couverte de bagues et de sang, jaillit des décombres. Aïnako la prit et la serra une seconde avant de recommencer à tirer sur les débris pour la décoincer. Ce n'était ni sa mère, ni Taïs, ni personne qu'elle connaissait, mais c'était une survivante.

Après quelques minutes, Naïké parvint enfin à la tirer hors des ruines. La fille toussa, gémit, toussa encore et s'évanouit dans ses bras. Elle portait une longue robe qui avait dû être somptueuse, pleine de rubans et de voilages, mais dont il ne restait que des loques. Son corps en entier était entouré d'un vif cocon lumineux.

Naïké voulut remettre la blessée à Aïnako qui fit non de la tête. Elle ne sortirait pas de là tant qu'elle n'aurait pas retrouvé sa mère et sa grand-mère. Naïké regarda Iriel, espérant sans doute trouver un allié, mais il se contenta de lui désigner la sortie du menton et de continuer à déplacer des débris. Elle les dévisagea à tour de rôle, bouche bée. Ne pouvant lâcher son fardeau, elle leur adressa un regard ulcéré et s'en alla en chargeant la fille sur son épaule.

Concentré sur ce qu'il faisait, Iriel ne leva pas la tête pour la voir partir.

Ils déterrèrent encore plusieurs morts. Aïnako commençait à désespérer. La chaleur et la déshydratation l'étourdissaient, mais elle n'avait pas l'intention d'abandonner. D'ailleurs, Iriel ne semblait pas disposé à la laisser prendre ne fût-ce qu'une minute de pause. Elle se demanda même s'il ne cherchait pas à la punir pour son insubordination.

« Tant pis pour lui, se dit-elle. Il va voir que je n'ai pas besoin d'autant de protection qu'il le croit. »

Naïké venait tout juste de refaire son apparition quand les flammes vacillèrent.

Iriel leva la tête, ramena les yeux sur Aïnako et se jeta sur elle. Une substance froide et mouillée lui tomba dessus avant qu'il ne l'atteigne.

Un torrent d'eau venait de s'abattre sur le palais.

# 9

## Le père d'Iriel

Elle était humaine. Ou du moins elle était entourée d'humains. Un garçon aux longs cheveux lisses, d'un noir tellement foncé qu'ils paraissaient violets sous la lampe qui pendait au-dessus de leur table, se pencha vers elle. Ses yeux, du même noir étrange, pétillaient.

« Iriel ! » voulut s'exclamer Aïnako. Ses lèvres ne bougèrent pas.

— Il faut absolument brancher l'électricité à Lilibé, dit le garçon en désignant la scène des deux mains, presque révérencieux.

Ils se trouvaient dans un bar chic et enfumé. À un bout de la salle, des musiciens jouaient sur une petite scène bordée de rideaux en velours et de haut-parleurs en bois. Une chanteuse à robe longue et à grande bouche criait, les yeux fermés, dans son micro. Les doigts du guitariste et du contrebassiste glissaient et sautaient sur les cordes à toute allure. Aïnako n'entendait pas grand-chose au jazz, mais la mélodie lui semblait familière. C'était sans doute un vieux classique que tout le monde connaissait.

Toujours en extase devant les musiciens, le garçon continua :

— Je ne vois pas pourquoi les elfes se contenteraient de flûtes et de luths quand les humains…

Aïnako plaqua une main sur sa bouche.

— Tu veux que ma sœur nous tue, c'est ça ?

Elle reconnut la voix de sa mère dans la sienne et cela lui fit l'effet d'un électrochoc. Les pensées de Silmaëlle se fondirent aux siennes et elle ressentit son excitation de se retrouver à cet endroit alors que toutes les lois de tous les royaumes l'interdisaient. Les elfes voyaient souvent les humains comme des êtres nuisibles et arriérés. Pourtant, à sa connaissance, il n'existait aucune société, que ce soit chez les elfes, les gnomes, les ondins ou les feux follets, qui n'ait été influencée par leur culture et leur technologie.

Iriel tourna des yeux malicieux vers elle. Il sourit sous ses doigts et elle les retira avant qu'il ne les morde.

— Relaxe, dit-il. Personne ne m'a entendu, avec ce boucan.

Le bar était plein, les corps s'entassaient et la

musique forçait les gens à hurler pour se comprendre. Les hommes portaient tous la cravate et ils avaient les cheveux gominés, tirés vers l'arrière, tandis que les femmes étaient vêtues de robes à pois ou à rayures, aux manches courtes ou trois quarts et à la taille haute et soulignée. Des souliers vernis et des sacs à main compacts venaient compléter le tout.

Un second garçon dont l'épaisse tignasse pointait étrangement vers le plafond s'approcha d'eux en fendant la foule. Aïnako reconnut Éléssan. Il avait retrouvé l'apparence qu'il avait eue durant quatorze ans alors qu'il s'appelait Loup et qu'il jouait le rôle de son cousin. Seuls ses cheveux avaient conservé le rouge orangé de sa forme originale.

— J'ai vu Vivianne, dit-il en s'asseyant à leur table. Elle s'en vient. Elle m'a un peu grondé à cause de ça.

Il pointa sa tête trop rousse en souriant comme un gamin. Aïnako perçut un grognement qui montait dans la gorge de sa mère.

— Cette fois c'est sûr, grommela-t-elle, elle va nous trucider.

Silmaëlle observa son reflet dans la grande vitre noire adjacente à leur table. Aïnako eut l'impression que c'était elle que sa mère regardait. Elle tapota les boucles brunes qui s'enroulaient sur son front comme pour s'assurer qu'elles n'étaient pas redevenues bordeaux. La bonne centaine d'épingles à cheveux qu'elle avait dû utiliser pour les faire tenir lui piquait le cuir chevelu. Comment les humaines arrivaient-elles à supporter une telle torture tous les jours ? « Elles ont plus d'expérience, se dit-elle en adressant une grimace à son reflet. Elles ne sont probablement pas obligées de vider la boîte d'épingles, elles ! »

— Je vous avais dit « discret » ! fit une voix furieuse derrière elle.

Silmaëlle se retourna et se retrouva en face de sa sœur. Aïnako sentit son propre cœur bondir. C'était tatie Vivi ! Sa tatie Vivi ! Mais elle était beaucoup plus jeune que celle qu'elle connaissait, beaucoup plus jeune qu'elle l'ait jamais vue. Sa bouche ressemblait à une cerise et des accroche-cœurs d'un châtain satiné encadraient savamment son visage rond. Elle paraissait avoir environ vingt ans, l'âge intemporel des elfes.

— Même les filles ne portent pas les cheveux aussi longs ! aboya-t-elle en attrapant une des mèches noires d'Iriel.

— Eh ! rouspéta-t-il en reprenant ses cheveux pour les rejeter dans son dos. Il aurait fallu que je les coupe pour vrai ! C'est déjà assez difficile de m'amputer les ailes et de changer la couleur de ma peau.

Tatie Vivi pointa Éléssan et Silmaëlle.

— Ils sont bien capables, eux.

Iriel la gratifia d'un sourire charmeur. Il allait répliquer quand Éléssan dit :

— On commence à nous regarder.

Il sirota nonchalamment une gorgée d'alcool brun et s'étouffa.

— Bon sang ! Qu'est-ce qu'ils mettent là-dedans ?

Tatie Vivi s'empara du verre, le renifla et eut un sourire moqueur.

— Whisky. Ça t'apprendra à vouloir imiter les grands. La prochaine fois, tu prendras un cocktail de fille pour aller avec la belle chevelure de ta copine.

Elle adressa un regard dédaigneux à Iriel qui haussa les épaules.

— Les humains sont décidément bien sexistes, commenta-t-il en reportant son attention sur la scène où le clarinettiste venait d'entamer un solo particulièrement aigu.

Tatie Vivi en fit autant et ses yeux s'adoucirent. Une expression triste passa sur son visage, ce qui déclencha un accès de colère dans le cerveau de Silmaëlle. Elle se tourna vers la scène et fixa le clarinettiste en le haïssant de tout son cœur. C'était un homme grand, brun, au visage ombragé par une amorce de barbe et qui portait un chapeau beige incliné sur le côté.

Quand il éloigna l'instrument de ses lèvres, il lui adressa un sourire et un clin d'œil qui chavirèrent Aïnako. C'était oncle Flo ! Elle aurait voulu courir sur la scène et se jeter dans ses bras, mais elle ne pouvait pas, évidemment. Elle n'était qu'une spectatrice impuissante. Il se remit à jouer et elle réalisa que ce n'était pas elle qu'il observait, mais tatie Vivi ; sa Vivi, comme il l'appelait de sa voix tendre et grave. Il était plus jeune que dans son souvenir, mais les rides de joie au coin de ses yeux étaient exactement pareilles.

Elle se demanda quel âge il avait et trouva la réponse dans les pensées de sa mère. « Trente-six ans, se disait-elle. Seulement trente-six ans ! C'est encore un bébé et il ressemble déjà à un vieillard. »

Quand Silmaëlle regarda à nouveau sa sœur, elle lui trouva un air décidé qu'elle ne comprit pas. Aïnako, en revanche, sut que tatie Vivi avait déjà pris sa décision. Elle allait abandonner son immortalité pour vivre et mourir avec cet homme.

Iriel fit un mouvement brusque et renversa le café qu'il n'avait bu qu'à moitié. Silmaëlle reçut le liquide chaud sur les cuisses et se leva en faisant tomber sa chaise. Tatie Vivi se tourna vers lui, déjà prête à l'engueuler, mais son expression l'en dissuada. Debout, il parcourait la foule des yeux, les sourcils froncés et l'air aux abois. Éléssan aussi s'était levé, mais il ne semblait pas savoir quoi chercher.

— Qu'est-ce qu'il y a ? demanda Silmaëlle. Qu'est-ce que t'as vu ?

Les yeux d'Iriel étaient encore inquiets, mais il sourit.

— Rien, j'ai dû avoir une hallucination. Désolé d'avoir ruiné ta robe. Ça te va bien, en passant. Tu devrais en mettre plus souvent.

Il posa une main sur sa taille et l'attira à lui. Aïnako sentit le cœur de sa mère battre plus vite. Elle s'attendait à ce que la vision se dissipe, comme chaque fois que sa mère et lui se rapprochaient, mais le corps du garçon s'écarta brusquement du sien et des cris recouvrirent la musique. Un homme venait de flanquer un coup de poing au visage d'Iriel, qui avait reculé et vacillé, mais qui ne s'était pas écroulé. Le nez en sang, il renifla et planta ses yeux dans ceux de son attaquant.

— Eh bien ! je n'avais pas la berlue. Que nous vaut l'honneur de votre visite, père ?

Celui qui se tenait devant lui le dévisagea longtemps sans répondre. Autour d'eux, la foule s'était faite silencieuse. À l'autre bout du bar, les musiciens continuaient de jouer. Tous sauf oncle Flo qui avait déposé sa clarinette et sauté en bas de la scène.

— De toute ma vie, finit par dire le nouveau venu, je n'ai eu aussi honte. Mon propre fils déguisé en humain ! Heureusement que ta mère n'est plus là pour te voir !

Il tourna les talons et sortit du bar. Iriel essuya le sang qui coulait dans sa bouche et lui emboîta le pas. En passant près de Silmaëlle, il lui prit brièvement la main. Elle tenta de le retenir, mais il s'éloignait d'un pas résolu. Les humains s'écartaient sur son passage. Elle le suivit.

Dehors, la nuit était fraîche et sentait l'asphalte mouillé. Une bruine tombait, tellement fine qu'on la sentait à peine. Un réverbère grésillait au-dessus d'eux.

— Vous partez déjà, monsieur le commandant ? lança Iriel derrière son père qui s'en allait à grandes enjambées dans la rue bordée de voitures aux allures de paquebots. Vous êtes venu jusqu'ici pour me frapper et vous ne restez même pas pour assister à mon humiliation ?

Le commandant s'arrêta et se retourna. Il ressemblait tellement à Iriel que c'en était troublant. On aurait dit des frères jumeaux. Par contre, il avait réussi, lui, à raccourcir ses cheveux noirs qu'aucun reflet violet ne venait enjoliver.

— Je refuse de te parler sous cette forme. Si

au moins tu avais fait du travail réussi ! Mais non. Tu ressembles à un gnome disproportionné. Heureusement que les humains ne sont pas reconnus pour leur vivacité d'esprit.

Iriel fit entendre un rire amer.

— Ouais, c'est ça, je me disais justement qu'il vous restait une ou deux insultes en banque.

Le commandant s'approcha de lui. Il regarda en direction de Silmaëlle. Aïnako se rendit compte qu'elle n'était pas la seule à avoir suivi Iriel. Éléssan était là, avec tatie Vivi et oncle Flo.

— Ce qui me déçoit le plus, mon fils, c'est que tu n'as jamais le courage d'agir seul. Encore maintenant, tu n'oses pas m'affronter sans tes amis. Si j'ai accepté de me travestir en humain, c'est pour voir de mes yeux ce qui pouvait bien t'attirer dans ce monde malpropre. Je t'ai observé pendant des heures sans que tu t'en rendes compte. Après, tu te demandes pourquoi je ne te confie jamais de mission. Tu n'as ni la compétence ni la force de caractère requises pour diriger des soldats.

Iriel serra les poings, ce qui fit sourire son père.

— Vas-y, frappe-moi. Ça te soulagera.

— Vous êtes tellement sûr que je ne le ferai pas…

— Je sais que tu ne le feras pas, mon fils.

Tu n'as jamais pris la moindre initiative de ta vie. Tu rêves de me remplacer, mais tu serais incapable de faire mon travail. Tu crois encore que tu pourrais modifier le fonctionnement de l'armée, tu crois que tu pourrais sauver plus d'innocents que moi, que tu prendrais de meilleures décisions. Je ne te confie pas de mission parce que tu te ferais tuer à la première occasion. Tu veux toujours sauver tout le monde, mais c'est impossible. On ne peut jamais sauver tout le monde. Jamais.

— Vous, vous êtes tellement persuadé que c'est impossible que vous ne faites plus d'efforts. Vous laissez des innocents se faire tuer et vous vous dites que c'est normal, que vous n'auriez rien pu faire de toute façon. Mais si vous essayiez… si, chaque fois, vous essayiez de sauver tout le monde, parfois vous réussiriez.

— Vieillis, mon fils ! Ton romantisme n'impressionne plus personne, sauf peut-être ta petite amie ici présente.

La rage bouillonna dans les veines de Silmaëlle. Elle aurait voulu lui sauter à la gorge et le remettre à sa place, mais, à part ses amis, personne ne savait qu'elle était la petite-fille du roi actuel d'Élimbrel. Et Iriel ne lui aurait jamais pardonné d'essayer de le défendre, surtout contre son père.

Le commandant regarda Éléssan et plissa les yeux.

— Ce que j'ai plus de mal à comprendre, c'est ce qu'un soldat de ta trempe fait ici à traîner avec des humains.

— Je ne traîne pas, monsieur le commandant, répondit Éléssan en inclinant respectueusement la tête. Je suis venu voir des amis.

— Cette fille et ce vieillard?

Le visage de tatie Vivi prit la couleur de son rouge à lèvres. Ses narines se dilatèrent et ses yeux s'assombrirent. Aïnako ne connaissait que trop bien ces symptômes. L'explosion était imminente. Oncle Flo dut s'en apercevoir, car il posa ses mains sur ses épaules et lui chuchota quelques mots à l'oreille. Tatie Vivi sembla se calmer. Elle jeta au père d'Iriel:

— Vous avez beau être puissant et immortel, monsieur, le respect est une valeur qui grandit n'importe quel homme, humain ou elfe.

— Retournez à Lilibé, père, dit Iriel qui semblait maintenant épuisé. Je me présenterai à votre bureau demain matin pour vous offrir ma démission et recevoir votre châtiment.

— Il est hors de question que tu démissionnes, ce serait trop facile. Tu voulais une mission? En voici une: supprime ces humains qui, de toute évidence, en savent beaucoup trop sur notre monde. Si tu t'acquittes de cette tâche, je te nommerai peut-être assistant du commandant.

Iriel parut s'étrangler.

— Vous plaisantez…

— Je ne plaisante jamais, mon fils. Assistant du commandant, tu as ma parole.

Le poing d'Iriel vola tellement vite qu'Aïnako ne le vit que lorsqu'il atterrit sur la pommette de son père. Celui-ci tituba et Iriel frappa encore, comme un fou, à deux mains. Il frappa encore quand son père fut rendu au sol, et encore quand il cessa de se défendre, et encore quand Éléssan et Silmaëlle tentèrent de l'arrêter, et encore quand son père cessa de bouger.

Ses amis réussirent à l'éloigner, mais il continua à frapper l'air en vociférant des choses incompréhensibles. Il essayait de parler la langue des elfes sans y parvenir à cause de son corps d'humain.

Il finit par cesser de frapper, mais ses yeux brillaient toujours d'une rage incoercible.

— Laissez-moi !

— Calme-toi d'abord, lui ordonna Éléssan en le plaquant au sol.

Iriel planta ses yeux dans les siens.

— Il voulait tuer Vivianne et Florian.

— Il ne voulait pas les tuer, il voulait te provoquer. Si tu continues, c'est toi qui vas devenir le meurtrier, ici. Tu oublies qu'on ne guérit pas aussi vite, sous cette forme.

— Pourquoi tu le protèges? Tu sais aussi bien que moi que c'est un monstre.

— C'est toi que je protège, imbécile! Tu ne peux pas tuer ton père.

— Tu penses que je n'en suis pas capable.

— Je suis sûr que tu en es capable, Iriel. C'est pour ça que je te protège, parce que tu ne veux pas tuer ton père.

Aïnako crut qu'Iriel allait lui cracher au visage, mais il contempla plutôt le corps de son père étendu sur l'asphalte, assommé. Il dit d'une voix très calme:

— La prochaine fois, tu ne seras pas là pour me sauver.

# 10

## RUINES ET FIBRE OPTIQUE

Une chaleur bienfaisante partait de ses tempes et parcourait ses veines pour aller se concentrer juste en dessous de son nombril.

Les yeux fermés, elle voyait sa lumière grossir et l'envelopper. Elle voyait ses brûlures disparaître et sa peau se refaire. Ses poumons se gonflaient pour absorber tout l'oxygène qu'ils pouvaient contenir. Chaque cellule de son corps brillait de sa lumière blanche, mais une douce brume rouge s'y mêlait, puissante et caressante.

Elle ouvrit les yeux et vit un sourire. Elle sourit en retour.

La lumière rouge s'effilocha et regagna les mains d'Olian.

Aïnako battit des cils pendant que sa propre lumière revenait vers son point d'origine. Ses cheveux sentaient le brûlé et son uniforme blanc était alourdi de suie, de sueur, d'eau et de sang. Elle était étendue dans l'herbe noire, la tête sur les jambes repliées d'Olian, les ailes ouvertes sous son dos. Au-dessus d'elle, les branches calcinées des arbres semblaient lacérer le ciel de leurs pointes ébréchées. Le soleil était levé, mais ses rayons ne parvenaient pas à atteindre la terre.

Des chuchotements flous se précisèrent peu à peu. Deux personnes se disputaient à voix basse.

— Compte-toi chanceux que rien ne lui soit arrivé par ta faute ! disait la première voix, la plus claire et la plus furieuse.

— Elle n'est plus sous ta garde, Maë, répliquait la deuxième, sèche et rauque. Elle ne l'a jamais été.

— Non, elle est sous la tienne, maintenant. Tu étais censé la protéger.

— C'est ce que j'ai fait, bien mieux qu'en la gardant à l'écart. Elle est plus forte que tu ne le crois, Maë. Et maintenant elle le sait.

— Je t'interdis de m'appeler comme ça ! Il y a longtemps que tu as perdu le droit d'utiliser ce surnom.

Aïnako se leva d'un bond. La tête lui tourna, mais elle était trop contente de voir sa mère vivante. Iriel et Silmaëlle étaient debout sur la même branche et se regardaient en chiens de faïence, apparemment sourds et aveugles au monde qui les entourait.

Silmaëlle avait les bras croisés sur son corsage dont les bourgeons et les boutons de fleurs avaient complètement brûlé. Elle frémissait de rage. Une partie de ses cheveux et du duvet ambré de ses ailes avait été réduite en cendres et des traces noires lui barbouillaient le visage, mais cela ne diminuait en rien l'impression d'autorité qu'elle dégageait. Iriel semblait pourtant peu impressionné. Ses épaules étaient légèrement voûtées, mais l'expression glaciale de son regard aurait fait reculer n'importe qui. Leurs ailes à tous les deux étaient ouvertes, comme s'ils se préparaient réellement à se sauter à la gorge.

Aïnako voulut faire un pas vers eux, mais ses jambes étaient trop faibles. Olian passa un bras autour de sa taille pour l'empêcher de tomber. Le bout de ses tresses était noir et frisotté. Elle en prit une entre ses doigts et des filaments brûlés s'en détachèrent. Elle les regarda glisser sur la peau verte de sa main et se jeta au cou du guérisseur, heureuse de le voir en un seul morceau.

Une main timide se posa alors sur son épaule. Elle se retourna et eut presque du mal à reconnaître Taïs. Elle avait la tête complètement échevelée, son visage et ses bras étaient maculés de suie et de sang, sa robe était en loques, mais ce n'était pas ce qui la rendait méconnaissable. C'était ses yeux. Leur couleur était la même, un jaune ocre qui rappelait le pelage du lion, mais la froideur y avait fait place à une sollicitude et une tendresse sans bornes.

Olian s'éloigna pour les laisser seules. Taïs fit un pas vers elle et la prit dans ses bras tout doucement. Elle murmura son nom. Son corps maigre tremblait. Elle n'avait jamais paru aussi menue. Aïnako sentit des larmes lui piquer les yeux. Elle ferma les paupières et les laissa couler. Elle était réellement contente de la voir.

Une autre paire de bras vint les enlacer et un front se colla au sien. Elle rouvrit les yeux pour sourire à sa mère. Leur étreinte se desserra, mais elles continuèrent à se tenir par les mains, même Taïs et Silmaëlle. Aïnako vit Iriel qui les observait de loin. Il ne lui rendit pas son sourire, mais elle s'en rendit à peine compte. Elle était heureuse de le voir vivant, lui aussi.

— Je vous ai cherchées, dit-elle en ramenant son regard sur sa mère et sa grand-mère. Vous n'avez pas été prises sous les ruines du palais ?

— Nous avons été parmi les premières à nous échapper, répondit Taïs.

Sa voix était rauque et des sillons humides marquaient ses joues sales.

— Chacune de notre côté, nous avons tout de suite pensé à toi, ajouta Silmaëlle dont les yeux paraissaient plus grands et plus brillants. Nous t'avions vue sortir de la cour, mais nous te pensions dans ta chambre.

— C'est donc dans cette partie des décombres que nous sommes tombées l'une sur l'autre, poursuivit Taïs. Nous avons tout retourné, mais tu n'étais pas là.

— Je ne voulais pas vous inquiéter, s'excusa Aïnako qui se sentait à présent très mal. J'étais sortie. Je voulais voir Kaï.

Silmaëlle sourit en serrant sa main encore plus fort.

— Oui, c'est ce qu'on nous a dit.

— Mais nous aurions dû y penser par nous-mêmes, fit Taïs avec un roulement d'yeux moqueur qui ne lui ressemblait pas du tout.

— Est-ce qu'on sait qui est responsable de l'incendie ? demanda Aïnako.

Silmaëlle secoua la tête.

— Non, mais on a un indice.

— Un indice ?

— Là-bas. Nous avons trouvé un objet étrange.

À l'endroit où pointait Silmaëlle, une dizaine d'ondins à la peau bleue étaient rassemblés dans la rivière qui coulait d'un bout à l'autre de Lilibé. Elle avait été transformée en boue la veille, mais semblait maintenant trois fois plus large qu'auparavant.

Aïnako reconnut Lubu Pieds d'Orque avec sa couronne de coquillages et ses longs cheveux verdâtres empilés comme une meringue sur sa tête. Elle se rappela leur première rencontre. Lubu et son peuple avaient décidé de fuir leur ancien royaume situé au fin fond d'un lac parce que des feux follets s'étaient installés aux abords. Elle ne l'avait pas revu depuis, mais il était identique à son souvenir. Elle reconnut également la tête flamboyante d'Éléssan et les couettes turquoise de Naïké, les boucles bleu électrique de Handur, les petits cheveux fous de Zoïrim et même les têtes ébouriffées de certains de ses gardes.

La joie qui l'envahit se chargea d'inquiétude quand elle prit conscience du peu d'uniformes blancs qui composaient le groupe.

— Où sont nos autres gardes? demanda-t-elle à sa grand-mère.

Taïs hésita avant de répondre d'une voix navrée:

— Il y a eu beaucoup de pertes.

Aïnako ne s'était jamais bien entendue avec ses gardes, mais leur mort l'affligea plus qu'elle ne l'aurait cru. Elle s'obligea à se souvenir du visage de chacun.

— Je veux les voir. Je veux les voir une

dernière fois avant qu'on les enterre. Je veux leur faire mes adieux. Vous me montrerez l'indice après.

— Je ne crois pas que ce soit une bonne idée, opposa Silmaëlle. Certains cadavres sont… ce n'est pas une bonne idée.

— Je veux leur dire au revoir, insista Aïnako. Si le palais a été détruit, cette nuit, pendant le bal, c'est presque sûr qu'on voulait nous tuer toutes les trois d'un seul coup. C'est seulement un hasard si on est encore en vie. Tous ces morts… ils sont morts à cause de nous… en quelque sorte.

Sa mère et sa grand-mère échangèrent un regard. Ce fut Taïs qui trancha :

— Très bien. Suis-nous.

Des guérisseurs s'affairaient encore sur certains blessés, mais la vie avait déjà quitté la plupart des corps étendus par terre. Les cadavres étaient encore plus nombreux que ce qu'elle avait imaginé. Les brûlures qui leur dévoraient la peau lui donnaient envie de pleurer.

Elle marchait à pas lents, la gorge comprimée. Ses jambes pesaient une tonne. L'odeur de chair brûlée était asphyxiante.

Elle aperçut un premier soldat de sa garde et

s'arrêta. Elle s'accroupit et se força à regarder son visage gris. Elle lui prit la main et la serra pour s'excuser de n'avoir pu le sauver. Elle se releva avant que ses forces l'abandonnent et continua son chemin en s'essuyant les joues.

Elle prit le temps de retrouver chacun de ses gardes. Elle reconnut plusieurs elfes d'Élimbrel qu'elle avait rencontrés à l'Académie ou en rendant visite à sa mère. Taïs et Silmaëlle se penchaient elles aussi au-dessus de certains corps pour leur rendre un dernier hommage, mais Iriel restait en retrait, le visage fermé et le corps raide. Ses yeux s'attardaient parfois sur le visage d'un mort et ses mâchoires se contractaient un peu plus, mais il ne s'arrêtait devant personne.

— Allons retrouver les autres, dit tout bas Silmaëlle quand elles eurent fait le tour.

Incapable de parler, Aïnako acquiesça en silence.

En se posant près de la rivière, Aïnako remarqua que le froid de l'extérieur ne s'était pas propagé dans la cité, ce qui lui parut bizarre. Si le dôme de protection avait été détruit, la température n'aurait-elle pas dû s'harmoniser avec celle de la forêt ? Mais la question s'envola de son esprit dès qu'elle vit le sourire d'Éléssan et de Naïké.

— Majesté, Majesté et Majesté ! fit la voix joyeuse de Lubu Pieds d'Orque. Bien le bonjour à vous trois !

Aïnako s'avança sur la berge et s'inclina devant le roi d'Uderlain.

— Allons, allons ! s'exclama-t-il. Relevez-vous, Majesté. Vous n'avez aucune raison de vous incliner de la sorte.

Les conventions stipulaient effectivement que les souverains n'avaient pas à se prosterner devant un autre souverain, mais Aïnako ne s'était jamais beaucoup souciée des conventions.

— Vous nous avez sauvé la vie, cette nuit, dit-elle en se relevant. Si vous n'aviez pas éteint l'incendie, beaucoup plus d'elfes seraient morts. Je ne suis pas une ondine, mais je sais qu'il faut beaucoup d'adresse pour diriger une aussi grande quantité d'eau et l'amener aussi loin de son cours d'origine.

Lubu hocha la tête en acceptant ses louanges et se hissa sur la berge. L'eau de la rivière suivit son mouvement. Elle s'éleva avec lui et le déposa au sol devant Aïnako. Le pagne d'algues sombres qu'il portait luisait comme une flaque de pétrole sur ses cuisses écailleuses qui scintillaient malgré la lumière laiteuse du jour. Longues et musculeuses, ses jambes se séparaient quand il marchait sur la terre ferme et se soudaient l'une à l'autre quand il nageait. Ses pieds se prolongeaient en d'interminables orteils reliés par de fines membranes qui lui permettaient de se propulser dans l'eau.

Des rigoles d'eau glissèrent sur son dos nu quand il s'inclina à son tour devant elle, puis à nouveau quand il se redressa. Il lui rendit son sourire, mais seul le bout de ses innombrables dents pointues apparut entre ses lèvres violacées.

— Si seulement nous avions pu arriver plus tôt…

— Vous auriez quand même été obligés d'attendre, dit Éléssan qui s'était approché d'eux. Ça n'a l'air de rien, mais ce n'est pas de tout repos de percer un trou dans un dôme de protection.

Il eut un sourire penaud et gratta les mèches flamboyantes que la sueur avait collées sur sa nuque. Son uniforme blanc était gris, mais il ne portait aucune trace de brûlure. Aïnako scruta le ciel et comprit que ce n'était pas les nuages, mais un reste de fumée qui bloquait les rayons du soleil. S'il restait autant de fumée, c'était que le dôme de protection n'avait pas été détruit. Il avait seulement été percé au-dessus du palais pour éviter que l'afflux d'oxygène n'avive le feu, ce qui aurait signé l'arrêt de mort des elfes qui se trouvaient encore dans le palais, dont elle-même.

À l'exception de la porte d'entrée, le dôme était impossible à approcher de l'extérieur, de sorte qu'Éléssan et ses compagnons avaient dû se relayer dans la fumée. Pendant que certains s'appliquaient à percer le trou, les autres descendaient pour reprendre leur souffle. Aïnako eut l'impression de manquer d'air rien que d'y penser. Elle remarqua qu'Éléssan tenait une espèce de corde transparente dans une de ses mains plus noires que vertes. C'était un long câble de plastique juste un peu moins large que son petit doigt. Ce fut en se le représentant à l'échelle humaine qu'elle comprit de quoi il s'agissait.

— Tu veux brancher Lilibé à l'Internet, ou quoi?

Il la considéra d'un drôle d'air.

— Tu sais ce que c'est?

Aïnako se demanda s'il la faisait marcher.

— De la fibre optique, répondit-elle. Pour transmettre des données. Ça permet d'avoir Internet, entre autres.

Elle tendit la main et il lui remit le fil de plastique. Souple et solide, il tenait presque droit dans les airs. Elle en serra une extrémité dans son poing et y amena une petite quantité de lumière. L'autre extrémité s'alluma comme une étoile.

Éléssan sourit.

— Ça sert à conduire la lumière, dit-il d'un air admiratif. Les technologies humaines peuvent être aussi belles que monstrueuses.

Aïnako éteignit sa lumière et lui rendit le fil.

— Tu n'en avais jamais vu ? Tu as pourtant été humain pendant quatorze ans.

— Par intermittence seulement, lui rappela-t-il.

Il observa le bout de plastique en le faisant tourner dans ses doigts.

— On l'a trouvé pas très loin du palais. Il n'y a jamais eu d'électricité en Élimbrel ni dans aucun autre royaume. Tu crois que ça aurait pu faire partie d'une bombe ?

Il avait dit « bombe » en français, leur langue ne comportant aucun mot pour désigner ce type d'arme. Elle ne crut pas essentiel de lui expliquer la différence entre fil électrique et fibre optique.

— Peut-être, dit-elle, je n'y connais rien. D'après toi, c'est une bombe qui a causé l'explosion et toute cette fumée ?

Éléssan haussa les épaules.

— Je me suis seulement rappelé les images de guerre qu'on voyait continuellement à la télé et dans les journaux, chez les humains.

L'explosion et l'incendie sont peut-être le fait d'une bombe, mais pas la fumée. On a aussi trouvé des cannettes de métal intactes, mais enduites de suie à l'intérieur.

— Des bombes fumigènes ?

Éléssan hocha la tête.

— Vous croyez que des humains sont responsables de l'explosion ? demanda une ondine.

Elle avait les bras en appui sur la berge et ses jambes tapotaient l'eau comme une grande nageoire. Aïnako se rendit compte que les elfes et les ondins qui les entouraient s'étaient tous tus pour les écouter.

— Jamais un humain n'aurait pu s'introduire dans Lilibé, dit Silmaëlle.

— Et les cannettes étaient trop petites, renchérit Éléssan.

Il continuait à faire rouler le bout de fibre optique entre ses doigts. Pensif, il ajouta :

— Je suppose qu'un elfe s'est servi de ça pour faire détoner l'explosif à distance avec sa lumière.

— Les elfes sauvages voyagent beaucoup, émit timidement quelqu'un.

— Ils connaissent mieux que quiconque les mœurs humaines, ajouta un deuxième.

Aïnako pivota sur ses talons, du feu dans les yeux.

— J'ai vu Kaï, hier. J'étais avec elle quand l'explosion a eu lieu. Les elfes sauvages se sont peut-être rebellés, mais ils n'auraient jamais fait sauter le palais.

— Comment peux-tu savoir que tu étais avec Kaï au moment de l'explosion ? demanda Taïs en fronçant les sourcils. Tu n'étais pas ici. Tu ne peux pas savoir exactement quand le palais a sauté.

Aïnako la regarda sans comprendre. Taïs avait semblé tellement heureuse de la revoir, tellement soulagée ! Il y avait eu tellement de tendresse dans ses yeux ! Comment pouvait-elle être déjà redevenue la reine froide et odieuse qui l'humiliait constamment ?

— Jusqu'à ce que nous ayons une autre piste, les elfes sauvages doivent compter parmi les suspects, reprit-elle. Ils se sont rebellés et ont déjà revendiqué plusieurs actes de vandalisme. Ils doivent payer le prix de leur insubordination. S'ils réussissent à prouver leur innocence, nous cesserons de les soupçonner, pas avant. En attendant, tu devrais t'abstenir d'entrer en contact avec eux et en particulier avec celle qui prétend être leur chef.

Aïnako ouvrit la bouche, la referma, l'ouvrit à nouveau.

— Je…

Elle ne trouva rien à objecter. Elle se tourna

vers Éléssan et Naïké dans l'espoir qu'ils se portent à sa défense, mais ils ne lui renvoyèrent qu'un regard peiné. Taïs avait raison. Ils ne pouvaient pas savoir où était Kaï au moment de l'explosion. Elle pivota vers sa mère, qui lui consentit un sourire plein d'affection, mais aucune piste de secours.

Ses yeux croisèrent enfin ceux d'Olian et ce qu'elle y lut fut comme un coup de poing. Ce n'était pas de la déception, c'était bien pire, ce n'était rien. Il n'y avait rien dans ses yeux, aucune attente, aucun encouragement, rien. On aurait dit qu'il venait de se rappeler à quel point elle avait changé depuis son couronnement, à quel point elle se pliait désormais à tout ce que Taïs ou ses conseillers lui dictaient.

Elle voulut se reprendre, dire quelque chose qui allait la racheter aux yeux d'Olian ainsi qu'à ses propres yeux, mais son esprit était vide. C'était peut-être la fatigue, ou le choc d'avoir vu le palais en flammes, ou l'horreur des corps calcinés, toujours est-il qu'elle était incapable de trouver un seul argument pour défendre Kaï et les elfes sauvages. Elle resta muette et baissa les yeux tout en se détestant.

— Nous allons rentrer en Shamguèn dès ce soir, décida Taïs.

Aïnako ne demanda même pas pourquoi.

Quand sa grand-mère parlait sur ce ton, il était inutile de discuter.

— Vous avez raison de rentrer, approuva Silmaëlle. Lilibé n'est plus sûre.

Elle posa une main sur le bras de sa fille et plongea ses yeux dans les siens.

— Je suis désolée que tu aies eu à vivre cela. J'aimerais te savoir en sécurité, heureuse et sans souci. Nous nous reverrons bientôt, Aïnako, je te le promets.

Elle se sentit idiote d'être émue. Elle dut avaler plusieurs fois sa salive pour ne pas se mettre à pleurer devant tout le monde. Elle acquiesça et eut soudain l'impression d'être éveillée depuis mille ans. Tout son corps lui pesait et ses vêtements poisseux l'écœuraient.

— Nous partirons aussi ce soir, annonça Lubu Pieds d'Orque.

Il était toujours debout sur la berge. Des mèches brunes pareilles à des cordes de matelot pendaient tout autour de sa tête et les écailles vertes et dorées de ses jambes ne brillaient plus depuis longtemps. Il était temps qu'il retourne dans l'eau. L'atmosphère enfumée de Lilibé était trop sèche pour lui.

— Ce soir? fit une ondine de huit ou neuf ans.

Depuis le début de la conversation, elle

s'amusait à faire des pirouettes autour des nénuphars qui avaient refleuri comme par enchantement après la sécheresse de la nuit.

— Ce soir, Lubaninon, confirma Lubu, catégorique.

Lubaninon se mordilla la lèvre de ses dents de piranha. Elle était la seule enfant de Lubu Pieds d'Orque et, à ce qu'Aïnako avait cru comprendre, elle le menait ordinairement par le bout du nez. Elle ne devait pas être habituée à se faire dire non.

— Mais je voulais rester pour visiter les rivières. Il y a plein de poissons qu'on n'a pas chez nous.

— Tu pourras visiter les canaux souterrains, répondit Lubu en lui souriant. Nous accompagnerons les elfes de Shamguèn jusque chez eux.

Les yeux de la petite ondine s'allumèrent.

— Ils vont venir avec nous dans les canaux souterrains ?

Lubu acquiesça. Lubaninon poussa un cri de joie et recommença à sauter par-dessus les nénuphars en faisant tournoyer ses cheveux indigo comme un fouet.

Aïnako était perplexe.

— Nous viendrons avec vous… comment ?

Lubu éclata d'un rire sonore.

— Ne vous inquiétez pas, Majesté. Nous ne vous laisserons pas vous noyer.

Il fit claquer ses longs pieds sur le sol boueux et plongea.

# 11

## La plage aux souvenirs

Les jambes en queue de poisson des ondins effleuraient parfois sa bulle d'air. Cela l'avait inquiétée au début, mais elle savait maintenant qu'elle n'éclaterait pas pour si peu.

C'était une sensation vraiment curieuse. Une mince couche d'air suivait la forme de son corps en s'élargissant à la tête à la manière d'un casque de scaphandrier. L'eau glissait sur sa peau sans la toucher, comme une caresse à travers une pellicule plastique. Deux ondins la tenaient par les bras en l'entraînant de toute la vitesse de leurs pieds palmés.

Le roc les encerclait, le tunnel semblait ne pas avoir de fin et il n'y avait aucun espace entre l'eau et le plafond lisse. L'obscurité était complète, mais Aïnako était la seule elfe à voir le rayonnement de la pierre. Même que l'eau semblait en décupler l'aura vaporeuse.

Les ondins, eux, se déplaçaient les yeux fermés en se fiant à ce qu'ils appelaient le chant de l'eau. Ils en percevaient chaque molécule et savaient toujours où ils se trouvaient.

Les sons semblaient amplifiés et étrangement déformés. Aïnako écoutait l'eau qui glougloutait en passant à travers les branchies de ses deux guides. C'était un bruit lent et régulier qui la rassurait. En tendant l'oreille, elle pouvait aussi entendre la respiration nerveuse des autres elfes. Les ondins les avaient avertis de ne pas allumer leur lumière pour éviter de réduire à néant la fine couche d'air dont ils les avaient enveloppés. Ils avançaient donc dans les ténèbres, n'ayant d'autre choix que de se laisser mener par leurs guides en frissonnant à cause de l'angoisse et du froid.

Les ondins pouvaient modifier la température de l'eau, mais il y avait des limites à leur pouvoir, surtout quand ils voyageaient à cette vitesse. Aïnako avait beau savoir que l'oxygène dans sa bulle d'air se renouvelait continuellement, elle n'arrivait pas à se débarrasser du sentiment de claustrophobie qui l'habitait. Elle s'était pourtant retrouvée dans des tunnels beaucoup plus exigus en Okmern et même en Shamguèn, les rares fois où elle avait pu retourner dans la grotte de son père.

Cela faisait plusieurs jours qu'ils voyageaient ainsi, en s'arrêtant à peine pour dormir ou grignoter leurs maigres provisions dans des grottes sous-marines que les ondins vidaient au préalable de leur eau. Le trajet entre Élimbrel et Shamguèn prenait quelques jours à dos d'oiseau ou de renard, mais il en faudrait un peu plus par le chemin qu'ils avaient choisi d'emprunter. Les canaux dans lesquels ils naviguaient leur permettaient rarement d'aller en ligne droite.

Aïnako ne pouvait cesser de penser à ses gardes morts et aux ruines enflammées du palais. Elle avait parfois l'impression qu'une odeur de brûlé flottait dans l'eau même si c'était impossible. L'identité des coupables demeurait mystérieuse, mais, comme elle l'avait prédit, les elfes sauvages demeuraient une cible de choix. Et elle devait bien admettre qu'aucun autre groupe organisé n'avait un motif aussi complet d'attaquer Lilibé. Elle les avait laissés tomber, Silmaëlle n'avait pas accédé à leurs demandes et Taïs en avait obligé quelques-uns à venir grossir les rangs de son armée durant les premières décennies de Shamguèn.

« Mais des tas d'autres elfes ont des raisons de nous détester ! se disait-elle. Des milliers, non, des millions de vies ont été détruites par la guerre. Des tas de gens ne voulaient pas de la paix. N'importe qui aurait pu décider de nous supprimer toutes les trois. »

Les yeux des elfes qui nageaient près d'elle s'agrandirent et elle vit la faible luminosité du roc être diluée par celle du soleil.

Les ondins accélérèrent pour un sprint final et ils débouchèrent au fond d'un petit lac. L'eau elle-même sembla alors les propulser à la surface et les déposer sur une plage de galets. Les elfes purent enfin respirer l'air froid de la forêt en clignant les yeux dans la clarté du jour. Leurs vêtements étaient aussi secs qu'à leur départ. L'odeur des conifères avait remplacé celle plus minérale du ruisseau. Le temps s'était réchauffé depuis leur départ de Lilibé quelques jours plus tôt, mais la neige n'avait pas complètement fondu. Il restait quelques cristaux de givre le long de la rive. Le chant des oiseaux et le craquement du bois qui dégèle semblaient presque surréalistes après le calme feutré des canaux souterrains.

Aïnako s'assit sur un rocher près du lac, le temps d'avaler deux ou trois fruits secs.

— T'en veux ? fit la voix enfantine de Lubaninon au-dessous d'elle.

À moitié sortie de l'eau, la jeune ondine lui tendait un morceau de chair rosée pendant qu'elle enfonçait ses innombrables dents pointues dans un autre. Aïnako retint un frisson et fit non de la tête.

— Les elfes ne mangent pas de poisson cru. Ni cuit, d'ailleurs. On ne mange rien qui a vécu.

— Les plantes ont vécu et vous les mangez.

— Rien qui a pensé, si tu préfères.

— Mais tu es un peu gnome, non ?

— Les gnomes non plus ne mangent pas les animaux.

— Ah bon ? Vous ne savez pas ce que vous manquez.

Elle mordit dans la chair tendre et s'immergea jusqu'au cou. Seul son visage resta à la surface. Ses longs cheveux flottaient autour de sa tête. Elle enfonçait parfois son menton sous les flots pour aspirer une gorgée d'eau. Les minces fentes violacées qui scindaient sa peau derrière ses oreilles s'ouvraient ensuite pour la recracher. Cela créait de petits tourbillons entre les fines lamelles rouges de ses branchies.

Après avoir dévoré ses deux morceaux de poisson, elle pirouetta sur elle-même, se catapulta hors de l'eau et atterrit en position assise à côté d'Aïnako en l'aspergeant de gouttes glacées.

— Tu es aussi agile que ton père, on dirait !

— Pas encore, mais presque. Et toi, est-ce que ta lumière d'elfe est aussi forte que celle de ton père ? Il paraît qu'il a déjà détruit toute une aile de l'ancien palais d'Uderlain.

— Mon père a détruit une aile de l'ancien palais ?

— C'était un accident.

— Mon père est déjà allé en Uderlain ?

— Je n'étais pas née, mais mon père me l'a raconté. C'était avant qu'il devienne roi. Il paraît que ton père s'est fâché et que sa lumière a explosé. Pouf ! Il n'avait même pas d'épée. Elle a juste jailli de partout.

Aïnako regarda la princesse sans y croire. La lumière de son père avait donc fini par se manifester ! Et elle était puissante, extrêmement puissante ! Il n'avait pas utilisé d'épée. Ce qui voulait dire qu'elle était sortie à l'état brut, comme sa lumière à elle.

— Lubaninon, tu crois que tu pourrais me faire faire une visite guidée, un jour, de l'ancien palais d'Uderlain ?

Lubaninon acquiesça vivement.

— Je vais demander à mon père, dit-elle en plongeant.

Les jambes collées l'une à l'autre comme une seule nageoire, elle fit quelques sauts de dauphin avant de disparaître dans les profondeurs du lac où les ondins s'étaient regroupés.

Aïnako se rendit compte que son cœur battait très fort. Elle chercha Taïs des yeux. Sa grand-mère était-elle au courant de ce que venait de lui révéler la fille de Lubu Pieds d'Orque ?

Sur la plage, les elfes étaient occupés à manger et à laisser le soleil inonder leur visage. Bien que l'air printanier fût encore frais, plusieurs avaient retiré leur veste et roulé leur pantalon. Ils portaient tous l'uniforme vert et brun de l'armée d'Élimbrel, même les soldats de Shamguèn, leurs vêtements ayant tous brûlé dans l'incendie. Silmaëlle était restée à Lilibé pour gérer la reconstruction de la cité, mais elle avait demandé à une troupe de les escorter, Taïs et elle.

Aïnako ne vit pas Éléssan, Naïké et Iriel. Ils s'étaient dissimulés dans les arbres pour s'assurer que personne ne les surprenne. Elle soupçonnait le chef de sa garde de l'avoir constamment à l'œil malgré le fait que tous les soldats avaient reçu pour consigne de la protéger.

En bordure de la forêt, Olian était accroupi sur une roche. Il avait posé une main sur la tête d'un immense perce-oreille dont la carapace brune se confondait avec la couleur du sol. Immobiles et silencieux, ils s'échangeaient des impressions, des sentiments et des images.

Elle frémit de dégoût. Elle ne s'était pas encore habituée à voir des insectes aussi gros et encore moins à leur parler. De toute façon, elle n'était pas très douée, contrairement à Olian. Quand ils s'arrêtaient quelque part, c'était toujours lui qui se chargeait des vérifications d'usage : « Des elfes sont-ils passés par ici récemment ? Des elfes sauvages ont-ils élu domicile dans les environs ? Quel est le meilleur endroit pour cueillir les champignons ? »

Elle attendit qu'il ait fini pour aller le voir. Il n'aimait pas qu'elle le dérange quand il parlait aux insectes. Il disait qu'ils sentaient sa peur et que cela les rendait méfiants.

— Tu as réussi à avoir des nouvelles ? demanda-t-elle quand le perce-oreille fut retourné se cacher.

Elle n'eut pas besoin de préciser des nouvelles de qui. Olian fit non de la tête.

— Elle ne se cache sûrement pas sur le chemin entre Élimbrel et Shamguèn.

La réponse ne surprit pas Aïnako. Elle s'était fait la même réflexion. Kaï et les siens devaient se trouver le plus loin possible de tout royaume elfe.

— Tu savais que mon père était déjà allé en Uderlain ?

Olian descendit de sa roche pour s'appuyer dessus. Aïnako s'assit à ses côtés.

— Il connaissait Lubu, continua-t-elle. C'est bizarre, non ?

— Pas tant que ça. Il était prince de Shamguèn, il devait forcément visiter les autres royaumes.

— Peut-être, oui, je n'y avais jamais vraiment pensé. Mais enfin, ce que je veux dire, c'est qu'il a détruit une partie de l'ancien palais d'Uderlain avec sa lumière. Il n'avait pas d'épée. Sa lumière est plus forte à l'état brut, comme la mienne. Tu te rends compte ?

— Ben… c'est ton père, c'est normal.

Déçue qu'il ne partage pas son enthousiasme, elle choisit de mettre cela sur le compte de la fatigue. Olian était un des seuls à savoir qu'elle avait peur d'elle-même, parfois, quand sa lumière explosait à l'extérieur de son corps sans qu'elle puisse la retenir. Dans les semaines qui avaient suivi son déménagement en Shamguèn, Éléssan avait insisté pour qu'elle apprenne à apprivoiser son don, comme il l'appelait, mais les résultats n'avaient pas été concluants. Même après des mois d'entraînement, sa lumière n'était pas plus docile. Elle ne se déchaînait que lorsqu'on l'attaquait par-derrière ou que la colère l'aveuglait, comme elle l'avait fait, par exemple, contre Iriel, la nuit du bal et de l'explosion.

— C'est peut-être normal, mais c'est quand même extraordinaire, non ? Si j'arrive à mettre la main sur quelques-uns de ses souvenirs, j'arriverai peut-être à comprendre comment la maîtriser. Dire qu'il pensait qu'il n'avait pas de lumière ! Il a dû avoir la peur de sa vie.

— Il pensait qu'il n'avait pas de lumière ?

— Il n'avait jamais été capable de l'utiliser ; alors, il pensait que…

— Vous parlez de mon fils ? coupa Taïs de sa voix cassante.

La première reine de Shamguèn se tenait dans leur dos, les poings sur les hanches, à croire qu'il était interdit de parler de Fælkor sans sa permission. Elle ouvrit les ailes, passa par-dessus leur tête et se posa devant eux.

— Majesté, la salua Olian en se levant pour incliner le haut de son corps.

Taïs le toisa.

— Fælkor n'apprécierait pas que tout le monde soit au courant de son handicap.

— Olian n'est pas tout le monde, répliqua Aïnako qui s'était levée elle aussi. Et ce n'aurait pas été un handicap si tu n'avais pas essayé de le transformer en guerrier alors qu'il détestait se battre.

— Fælkor n'était pas fier de son état. Ta mère était la seule à part moi à être au courant.

— Et tu ne voulais pas non plus que je le sois, dit Aïnako.

— J'aurais préféré que tu ne connaisses que ses forces.

— Mais je ne connais rien de lui ! C'est Lubaninon qui m'a appris qu'il avait pulvérisé une partie de l'ancien palais d'Uderlain.

— Cette petite peste ?

— Elle va m'emmener sur le site de l'ancien royaume.

Sans s'en rendre compte, elle avait emprunté un ton de défi. Taïs allait-elle lui refuser cette chance inespérée de découvrir certains des souvenirs de son père ?

— Il n'en est pas question ! répondit-elle.

Elle n'avait même pas hésité pour la forme. Aïnako en resta stupéfaite.

— Mais… pourquoi ? réussit-elle à bégayer.

— Tu n'as pas besoin d'y aller. Tu n'as pas besoin de connaître cet épisode de la vie de mon fils.

— La vie de mon père, tu veux dire !

— Il était mon fils bien avant d'être ton père. Tu lui ressembles physiquement, mais tu as hérité du caractère entêté de ta mère. Fælkor ne m'aurait jamais parlé ainsi.

— Tu lui faisais bien trop peur ! Tu penses qu'en m'empêchant d'avoir accès à ses souvenirs tu m'empêches de savoir que tu étais méchante avec lui ? Tu le rendais malheureux. Il…

Taïs la gifla. Aïnako recula d'un pas. Elle garda la tête baissée un instant, la main sur sa joue, avant de regarder autour d'elle. Pas une tête n'était tournée dans leur direction, mais la plage lui sembla un peu trop silencieuse.

— Ne me manque plus jamais de respect, dit sa grand-mère dans un murmure menaçant.

La main toujours sur sa joue, Aïnako ne répondit pas. Du coin de l'œil, elle vit Olian ouvrir la bouche en fixant Taïs. Elle voulut lui attraper un bras pour l'empêcher de parler, peu importait ce qu'il s'apprêtait à dire, mais il était trop tard.

— Le respect doit être réciproque. Vous ne pouvez exiger ce que vous-même refusez de donner.

Il avait parlé d'une voix calme, polie. Taïs lui fit son sourire le plus carnassier. Le sang d'Aïnako se glaça. C'était le sourire qu'elle lui avait adressé juste avant de lui ravir sa lumière, presque un an plus tôt.

— Tu n'es qu'un villageois sans envergure, cracha-t-elle. Tu ne mérites pas de respirer le même air qu'une reine. Si je te tolère dans mon palais, dans les appartements de ma petite-fille, c'est justement à cause de ton insignifiance. Je n'ai jamais cru utile de perdre mon temps avec toi. Mais montre-toi encore une fois insolent et je te fais bannir de mon royaume.

Olian, qui la dépassait pourtant d'une bonne

tête et demie, parut rapetisser. Aïnako ouvrit la bouche pour le défendre, mais elle semblait avoir perdu l'usage de la parole. Pourquoi n'arrivait-elle jamais à tenir tête à sa grand-mère? Taïs les dévisagea encore une minute avant de tourner les talons et de s'en aller. Aïnako leva les yeux vers ceux de son ami.

— Désolée... J'aurais dû lui répondre, mais ça n'aurait rien donné. Ça ne donne jamais rien de discuter avec elle.

— Je ne te reconnais plus, Aïnako. Il y a quelques mois, tu n'aurais pas hésité à lui dire ta façon de penser.

Encore une fois, l'absence d'émotion qu'elle lut sur son visage la transperça. Il était tellement habitué à sa lâcheté qu'il n'en était même plus déçu. Il haussa les épaules.

— Je m'ennuie de l'ancienne Aïnako, c'est tout.

— Mais je suis toujours moi! Mon rôle de reine prend beaucoup de place et c'est vrai que je retourne souvent chez les humains pour voir ma tante et mes amis, mais...

Il lui effleura la main du bout des doigts.

— Tu as trop d'identités.

Elle fronça les sourcils. Que voulait-il dire? Mais elle le laissa partir sans demander plus d'explications.

Au bord de l'eau, Taïs discutait maintenant

avec un ondin. Aïnako se mit à marcher droit sur eux avec l'intention de dire à sa grand-mère de se mêler de ses affaires. Elle avait bien le droit de visiter l'ancien royaume d'Uderlain si ça lui chantait. Mais elle n'avait pas fait dix pas qu'elle s'arrêta. Taïs trouverait sans doute mille prétextes pour la retenir en Shamguèn. Elle en trouvait déjà assez pour la tenir loin de la grotte de son père.

Aïnako fit demi-tour. Elle s'apprêtait à s'enfoncer dans la forêt quand elle remarqua un caillou différent des autres. Elle se pencha pour le ramasser et se figea. Une image venait de lui traverser l'esprit. Une image vue par les yeux de son père. Elle avait reconnu ses pensées, sa mélancolie, sa douceur.

Toujours accroupie dans les galets, elle examina le caillou de plus près. Parfaitement lisse et de la taille de sa paume, il était pâle et parcouru de veines rougeâtres. Elle passa ses doigts dessus, ferma les yeux et serra le poing. En se concentrant, elle parvint à faire revenir l'image. C'était le même lac qui se trouvait derrière elle, mais la berge était dépourvue de neige.

Surexcitée, elle enfouit le caillou dans sa poche et se mit à fouiller la plage jusqu'à ce qu'une autre bribe de souvenir éclose dans sa tête. Ce ne fut encore qu'une seule image, mais plus nette que la précédente. Le paysage n'avait presque pas changé. Le soleil transformait le lac en un miroir parsemé de nénuphars jaunes. Du coin de l'œil, elle discernait une queue de poisson aux écailles vertes et dorées qui émergeait de l'eau. Ses contours étaient embrouillés comme si son père ne l'avait pas encore remarquée.

Elle continua son exploration, indifférente au regard des soldats.

Certains cailloux ne lui renvoyèrent que des sensations, d'autres des séquences de plusieurs secondes, mais tout était fragmenté. Les souvenirs ne se suivaient pas et elle avait l'impression qu'ils s'échelonnaient sur plusieurs années. Il faisait tantôt jour, tantôt nuit. Le lac était parfois couvert de brume, parfois criblé par la pluie.

Quelques souvenirs de sa mère se mêlaient à ceux de son père. Elle vit Fælkor se poser sur une feuille de nénuphar, ses ailes grises striées de minces lignes brunes grandes ouvertes dans son dos. Elle vit Silmaëlle survoler l'étendue aquatique pour en sonder les profondeurs. Ses boucles bordeaux dissimulaient son visage. Elle vit Païlia, celle qui avait tué son père sans le vouloir. Ses longs cheveux rose pêche ruisselaient d'eau et son sourire creusait des fossettes dans ses joues rondes. Elle vit Lubu

Pieds d'Orque et d'autres ondins en train de parler à son père ou à sa mère; elle n'arrivait plus très bien à départager leurs souvenirs.

Enfin, pendant une fraction de seconde, elle vit Iriel, les yeux brillants de haine sous les étoiles. Il avait sorti son épée et la pointait sur elle, ce qui la surprit au point qu'elle sursauta et lâcha le galet qu'elle tenait.

Elle se tourna vers la forêt où il se trouvait en ce moment. Elle aurait voulu lui demander ce qui s'était passé pour qu'il pointe ainsi son épée sur sa mère, mais elle ne le savait que trop bien.

Sa mère et lui s'étaient aimés, puis ils s'étaient haïs de toute leur âme.

# 12

# Poudre de roche

En pénétrant dans la place royale de Shamguèn, Aïnako fut surprise de se sentir rassurée. Elle était chez elle. Elle qui avait pourtant cru qu'elle détesterait cette grotte à jamais, il fallait croire qu'elle s'était accoutumée au gris et à l'humidité.

À l'autre bout de la grotte s'élevait le palais de verre que Melkor avait jadis fait construire pour Taïs. Le soleil s'infiltrait par l'ouverture circulaire qui se trouvait juste au-dessus et transformait ses tours effilées en aiguilles de lumière qui tapissaient le sol d'arcs-en-ciel.

— C'est joli, murmura Lubaninon. On dirait des poissons luminescents.

Aïnako sourit. De percer la voûte avait été son idée. À ce jour, cela restait sa seule contribution à son nouveau royaume. Toutes ses autres propositions avaient été rejetées.

La petite délégation d'ondins qui les accompagnait ne semblait pas très à l'aise sur le plancher raboteux de la grotte. Leurs pieds palmés claquaient sur la pierre et ils avaient tous la même démarche de pingouins.

— Déjà ? s'exclama une des conseillères de Shamguèn qui avait sauté d'une des fenêtres du palais pour venir à leur rencontre.

Elle se posa devant Taïs, une expression soucieuse sur le visage.

— Bonjour Maïris, dit Taïs en faisant un geste des yeux vers Lubu Pieds d'Orque.

Maïris regarda le roi, tressauta et le salua en s'inclinant le plus bas qu'elle pouvait. C'était une des amies personnelles de Taïs et elle oubliait parfois ses bonnes manières. Elle observa les habits verts et bruns des soldats de Shamguèn, lesquels étaient deux fois moins nombreux qu'à leur départ, et ses yeux s'agrandirent d'inquiétude.

— Que s'est-il passé ?

— À l'intérieur, répondit Taïs en désignant le palais. Rassemble le reste du conseil. Il y aura une réunion d'urgence dès que je me serai lavée et changée.

Maïris acquiesça et rouvrit les ailes pour s'envoler vers la fenêtre par laquelle elle était sortie.

— Une réunion pour quoi? demanda

Aïnako qui avait remarqué l'emploi de la première personne du singulier.

— Pour établir notre stratégie, bien sûr.

Aïnako était certaine qu'elle le faisait exprès. Sa grand-mère tenait vraiment à ce qu'elle étale son inexpérience devant tout le monde.

— Notre stratégie pour quoi? demanda-t-elle en retenant un soupir de frustration.

— Pour protéger Shamguèn, évidemment.

— Et Élimbrel, ajouta Zoïrim que Silmaëlle avait chargé d'être ses yeux et ses oreilles. En unissant nos efforts, nous serons plus aptes à arrêter ces malfrats.

— Nous pourrions surveiller les cours d'eau entourant les deux royaumes, proposa Lubu Pieds d'Orque. Nous pouvons sentir un elfe qui se baigne à des lieues à la ronde. Et peut-être devrions-nous convier les gnomes d'Okmern à cette réunion. Je suis sûr qu'ils voudraient nous aider à coffrer ces malfrats, pour reprendre l'expression qu'a utilisée Zoïrim avec sa grâce habituelle, même si j'aurais plutôt parlé de monstres, d'ordures, de salopards, de sales pourritures...

— Ils n'arriveraient pas à temps, le coupa Taïs. Avant que Varénia reçoive notre message et se mette en route, il pourrait s'écouler des jours.

— Euh, fit Aïnako, je n'en suis pas si sûre.

Le ton à la fois alarmé et incrédule de sa voix attira tous les regards. Elle leva un doigt pour leur faire signe de patienter, s'accroupit et appuya ses mains contre la pierre. Une vingtaine d'individus se déplaçaient sous la place royale, dans les tunnels reliant Shamguèn à Okmern. À leur démarche rythmée, elle devina qu'il s'agissait de militaires. Elle était même certaine de reconnaître les petites bottes de Varénia et son pas presque agressif. Seuls deux d'entre eux marchaient avec moins de vigueur. Il s'agissait sans doute de conseillers. Ils exigeaient souvent d'accompagner la reine où qu'elle aille.

Aïnako s'apprêtait à verbaliser ce qu'elle avait perçu quand la grotte au grand complet se mit à trembler.

Le palais de verre émit un craquement, les elfes vacillèrent avant de s'envoler et les ondins se retrouvèrent tous sur les fesses.

Seule Aïnako ne bougea pas. Les paumes toujours à plat sur le plancher froid, elle était comme paralysée. Sous terre, les gnomes s'étaient immobilisés et une énergie magistrale avait pris possession de la pierre. Chacun d'eux avait posé ses mains sur la paroi du tunnel. Elle pouvait sentir leur cœur battre à coups lents et réguliers. Ils étaient tous tendus et concentrés, mais elle se rendit compte qu'un seul d'entre eux les guidait. Il canalisait leur force et se l'appropriait avant de la rediriger à l'intérieur du roc.

Elle suivit cette force et vit toute la grotte s'ouvrir dans son esprit.

Elle percevait la pierre qui s'enfonçait dans la terre avec ses tunnels, ses cassures et les insectes qui y grouillaient. Le palais de verre se dessinait tel un point clair au milieu d'un océan gris. Elle avait l'impression d'entendre ses tours vibrer d'une note cristalline. On aurait dit qu'elles étaient sur le point de se fracturer.

En fermant les yeux un peu plus fort, elle se rendit compte qu'elles étaient déjà fracturées. Le verre normalement si lisse était lézardé et les plaques ainsi créées frottaient les unes contre les autres. Le palais aurait dû s'écrouler. La seule chose qui l'en empêchait, c'était l'énergie des gnomes.

Aïnako remarqua alors que la grotte entière vibrait. La pierre était parcourue de profondes fissures et elle sentait des grains de poussière se détacher de la voûte.

Le roc qui s'enfonçait dans la terre n'était plus aussi massif. Il était maintenant formé de milliards de cailloux, parfois pas plus gros que la pointe d'un cheveu d'elfe.

Parmi ces cailloux, quelque chose d'anormal

résistait à la force des gnomes. Une poche de gaz poussait sur la pierre qu'ils tentaient désespérément de refermer. Le granit pourtant si solide bouillonnait à son contact. Des fissures se formaient dans lesquelles le gaz s'infiltrait avant d'être refoulé par les soldats d'Okmern qui les soudaient à mesure qu'elles s'ouvraient et se rouvraient.

Une voix résonna à l'intérieur de sa tête. La voix du gnome dont elle avait suivi l'énergie. Elle était certaine de l'avoir déjà entendue, mais elle n'arrivait pas à se rappeler où et quand. Il lui enjoignit de fuir avant de la repousser brutalement.

Elle tomba à la renverse. En ouvrant les yeux, elle vit Iriel qui la fixait, accroupi, impassible.

— Il faut faire évacuer la grotte, dit-elle.

Elle avait voulu crier, mais seul un murmure enroué était sorti de sa gorge sèche. Iriel fronça à peine les sourcils.

— C'était une autre bombe ?

Aïnako acquiesça.

— Tout va s'écrouler. Les gnomes empêchent le palais et la voûte de s'effondrer, mais ils ne tiendront plus longtemps.

— Ça n'a aucun sens ! protesta Taïs. Si les gnomes peuvent soutenir la grotte et le palais, pourquoi ne peuvent-ils pas les réparer ?

— Ils sont à bout de forces.

Elle sentait leur épuisement à travers la pierre. Toute leur énergie avait été monopolisée pour contenir l'explosion. Tout ce qui les gardait debout, c'était la volonté et l'acharnement de celui qui les guidait. À travers la pierre, elle l'entendit l'inciter silencieusement à se dépêcher. Elle se redressa d'un geste brusque. S'ils ne sortaient pas maintenant, ils se feraient enterrer vivants.

Elle chercha Éléssan des yeux. Elle n'eut pas besoin de parler. Son expression effarée dut le convaincre qu'il n'y avait pas de temps à perdre. Il ordonna aux soldats présents de faire sortir les ondins et s'envola vers le palais.

Taïs pinça les lèvres, probablement contrariée que l'ordre ne soit pas venu d'elle-même, mais elle ne dit rien et fit signe aux gardes qui attendaient encore ses directives d'obéir. Iriel avait déjà attrapé Aïnako par le bras et la tirait vers le haut.

— Attends ! dit-elle en résistant. Les ondins !

Les soldats se mettaient par deux pour les entraîner vers le puits de lumière qui s'ouvrait au-dessus du palais, mais ils n'étaient pas assez nombreux pour les transporter tous. Ils auraient pu repasser par le tunnel qu'ils avaient emprunté pour arriver. Or, il était plus loin et les ondins ne couraient pas assez vite.

Iriel la lâcha et en accrocha un sous l'aisselle.

Aïnako le prit de l'autre côté et ils décollèrent. Le pauvre ondin s'agrippa à eux en gémissant. Ses ongles durs et pointus perçaient leurs vêtements, tandis que ses jambes s'agitaient follement. Iriel lui intima l'ordre de se calmer, sinon il allait le laisser tomber. L'ondin cessa de se débattre et se mit à trembler, les yeux exorbités.

Aux fenêtres du palais, des elfes les observaient, perplexes. La voix de Taïs résonna quand elle leur ordonna de les suivre. Leur perplexité décupla, mais ils étaient habitués à suivre ses ordres sans rouspéter. D'autres employés du palais suivirent, probablement avertis par Éléssan, et les tours de verre disparurent sous un grouillement d'ailes multicolores. La foule s'était tellement resserrée qu'un bouchon se créa devant l'ouverture circulaire. Les rayons du soleil en étaient totalement masqués.

Aïnako essaya de sourire à l'ondin qui tremblait entre elle et Iriel pour le rassurer, mais il enfonça plus profondément ses ongles dans sa chair et elle grimaça. Cinq gouttes de sang perlèrent, aussitôt accompagnées de cinq nuages blancs. L'ondin sursauta en sentant la lumière lui chatouiller les doigts, mais il ne sembla pas comprendre qu'il en était la cause.

Un grondement sourd se fit entendre. Le

cœur d'Aïnako s'arrêta. Les gnomes n'avaient pas réussi à tenir le coup !

Une fine poussière grise se détacha de la voûte et le soleil l'éblouit brutalement.

Elle rentra la tête dans les épaules et réalisa que c'était la chose la plus inutile au monde. Si la grotte en entier leur tombait dessus, sa tête se ferait aplatir, peu importait où elle se trouvait.

Autour d'elle, pratiquement tout le monde avait eu le même réflexe, mais l'impact ne vint pas.

Elle leva les yeux et une exclamation lui échappa. Le bleu du ciel était à nouveau visible. Non seulement les gnomes tenaient-ils toujours le coup, ils avaient même réussi à élargir le puits de lumière pour leur permettre de sortir plus vite.

Une nuée d'elfes jaillit de la pierre et s'éparpilla dans le ciel. Taïs mena ses troupes à l'orée de la cité, là où finissait le roc gris et où commençaient les céramiques colorées qui tapissaient Shamguèn. Malgré l'ouverture maintenant très large, il fallut plusieurs minutes pour que tous les elfes s'échappent.

Dès que ses pieds touchèrent le sol, Aïnako recommença à sentir l'énergie des gnomes à travers la semelle de ses bottes.

Éléssan fut le dernier à sortir. Ses cheveux

flamboyèrent dans le soleil décroissant et un immense fracas secoua la terre. La grotte s'écroula en soulevant une chape de poussière. Le vacarme résonna longtemps dans le silence incrédule des spectateurs.

L'ondin s'agrippait toujours au bras d'Aïnako et elle se rendit compte qu'elle faisait de même.

— Pa… pardonnez-moi de vous avoir fait mal, balbutia-t-il en lui lâchant le bras.

Elle lui sourit.

— Ce n'est rien. J'ai connu pire.

L'ondin baissa la tête, embarrassé.

— Je m'appelle Zélion.

— Enchantée, Zélion. Moi c'est Aïnako.

— Je sais. Tout le monde sait qui vous êtes. Vous êtes la gentille reine, la fille de Fælkor.

Aïnako écarquilla les yeux.

— Tu as connu mon…

Elle s'interrompit. Le sol s'était remis à trembler.

Elle regarda autour d'elle. Elfes et ondins n'avaient pas bougé. Une fine couche de poudre grise atténuait l'éclat des chevelures des uns et celui des écailles des autres. Personne ne percevait le roulement de la pierre sous leurs pieds.

Derrière eux, des formes ailées étaient perchées sur les gratte-ciel colorés et les arches translucides de la cité. Les habitants de Shamguèn étaient sortis pour voir la cause de ce qu'ils devaient avoir perçu comme un immense coup de tonnerre.

Elle s'assit sur ses talons et toucha le roc. Malgré la distance, elle arrivait à sentir les morceaux de verre pulvérisés sous les gravats. À mi-chemin entre la pointe de ses pieds et les ruines, un tunnel était en train de se creuser. Le grondement que produisait la pierre en s'ouvrant se rapprochait.

— Que se passe-t-il, Majesté? demanda Zélion, une pointe de panique dans la voix.

— Les gnomes arrivent. Ils... Je crois qu'ils rient.

Elle n'en était pas certaine au début, mais, maintenant qu'ils approchaient, il n'y avait plus de doute. Elle percevait le choc régulier de leurs bottes et devinait parfois une main sur une paroi ou un coup de pied dans une saillie, mais une légère vibration se manifestait çà et là. Des voix. Le ton fluctuait trop pour qu'il s'agît d'une simple conversation; ce n'était pas assez agressif pour une engueulade et c'était trop saccadé pour une chanson. Il fallait que ce soit des éclats de rire.

Elle se releva. Une seconde plus tard, la pierre se fendit et un trou béant apparut à plusieurs pas devant elle. Le rire des gnomes emplit le silence avant de s'arrêter brusquement. Des marches semblèrent se sculpter d'elles-mêmes et un premier soldat d'Okmern pointa sa tête encagoulée hors du sol. Aïnako reconnut son énergie. C'était lui qui avait guidé la force des autres quelques instants plus tôt et qui l'avait poussée à fuir la grotte.

Les autres soldats jaillirent à leur tour de la pierre. Anonymes sous les combinaisons noires qui les recouvraient de la tête aux pieds, ils formèrent deux colonnes entre lesquelles une silhouette plus fine avançait d'une démarche impériale, suivie de près par deux gnomes également vêtus de noir, mais qui n'arboraient aucune épée d'acier à la ceinture.

— Varénia ! s'exclama Aïnako quand la procession s'arrêta devant elle et Taïs. Qu'est-ce que vous faites là ?

Leur dernière conversation était encore fraîche dans sa mémoire et elle ne savait trop comment agir.

— Il n'y a pas de quoi, répondit Varénia d'un ton supérieur.

Aïnako se mordit la lèvre. Elle voulut se reprendre, mais Taïs avait déjà fait un pas en avant.

— Que Votre Majesté pardonne à ma petite-fille. Les derniers jours ont été éprouvants.

Les joues d'Aïnako se mirent à chauffer.

— Je suis désolée. J'aurais évidemment dû vous remercier tout de suite…

— Ce n'est pas moi qu'il faut remercier, l'interrompit Varénia, mais mon maître sculpteur.

Elle posa sa main sur l'épaule du soldat dont la force avait permis aux elfes d'évacuer la grotte. Il posa son poing droit sur son cœur et s'inclina devant Aïnako.

— C'est plutôt nous qui devrions vous remercier.

Sa voix lui sembla encore familière sans qu'elle arrive à la replacer. Ce n'était pas Erkor, qui était le gnome le plus habile qu'elle connaissait quand il s'agissait de parler aux pierres. Il avait repris son poste de commandant et elle avait souvent eu l'occasion de le côtoyer. Sa voix était beaucoup plus grave que celle de ce soldat.

— Moi ? s'étonna-t-elle.

— Si je n'avais pas senti votre présence, nous serions tous morts dans l'explosion.

— Ma présence ?

— Tous les gnomes dégagent une énergie particulière. Vous aussi. C'est en sondant la pierre qui nous séparait que j'ai découvert la… je crois que vous appelez ça une *bôme* ?

Aïnako ne put retenir un sourire.

— Une bombe.

Les langues humaines étaient plutôt simples, mais certains avaient tendance à les simplifier outre mesure.

— Si je ne m'étais pas demandé ce que ce drôle d'engin faisait dans un de nos tunnels, je n'aurais jamais pu sentir l'explosion à temps. C'est vous qui avez sauvé les vôtres en les incitant à quitter la place royale.

Les joues toujours brûlantes, Aïnako baissa la tête.

— J'aurais dû réagir plus vite.

— En effet, approuva Varénia. Si tu n'avais pas cédé à ta curiosité en explorant la pierre grâce à notre énergie, nous n'aurions pas eu à risquer nos vies en dispersant notre concentration pour agrandir votre porte de sortie. Votre manque d'organisation nous a toujours bien fait rire.

Taïs dut se sentir visée par cette insulte, car elle haussa les sourcils et dit d'un ton glacial :

— C'était donc la raison de votre hilarité ? Vous êtes libres de rire de nous si le cœur vous en dit, mais je vous prierais de vouvoyer vos semblables. Ma petite-fille est reine au même titre que moi ou que vous.

Aïnako la dévisagea en écarquillant les yeux. Elle n'en croyait pas ses oreilles. Sa grand-mère n'avait pas l'habitude de se porter à sa défense.

Elle profita de la confusion de Varénia pour reprendre la parole :

— J'admets avoir été curieuse, mais vous ne nous avez toujours pas dit ce que vous faisiez sous la place royale. C'est quand même une drôle de coïncidence.

— Seriez-vous en train d'insinuer quelque chose, Majesté ? demanda la reine d'Okmern en insistant très fort sur le « vous ».

Aïnako rougit encore une fois. Elle avait vraiment le don de se mettre les pieds dans les plats.

— Je voulais seulement dire que c'était un heureux hasard. Si vous étiez arrivés un peu plus tard, ou si le voyage entre Élimbrel et Shamguèn avait été plus long… disons que les choses ne se seraient pas aussi bien passées.

— Ce n'est pas le hasard qui nous a menés ici, répliqua Varénia. L'explosion qui a détruit le palais de Lilibé a secoué Okmern tout entier et les quelques étangs que les ondins ont asséchés de même que les rivières dont ils ont inversé le courant ne sont pas passés inaperçus. De nombreux poissons et autres bêtes aquatiques en sont morts.

Aïnako se tourna machinalement vers Lubu Pieds d'Orque. Elle ne s'était jamais demandé où il était allé chercher l'eau nécessaire pour éteindre l'incendie. Ce fut Lubaninon qui répondit :

— On les a tous mangés, après, t'inquiète pas. Ils ne sont pas morts pour rien.

Blottie contre son père qui lui caressait la tête, elle la fixait à travers ses mèches indigo ternies par la poussière. Aïnako s'en voulut d'avoir été choquée. Ce n'était pas parce que les elfes répugnaient à tuer la moindre larve de limace qu'elle avait le droit de juger les autres.

— On dirait bien que nous devons notre vie à beaucoup de monde, ces temps-ci, dit-elle avec un rire embarrassé.

— C'est à ça que servent les alliances, commenta Varénia.

Même si son visage était invisible sous sa cagoule, Aïnako était certaine que ses yeux étaient rivés aux siens. Elle détourna le regard malgré elle.

— Si je comprends bien, intervint Taïs, c'est l'alliance qui unit nos royaumes qui vous amène.

— Votre Majesté comprend bien. Le royaume d'Okmern vous offre son armée pour vous aider à arrêter ceux qui ont ignominieusement attenté à votre vie.

Elle marqua une pause pour jauger leur réaction. Taïs resta de marbre et Aïnako essaya d'en faire autant. Varénia avait certainement une ou deux conditions à poser.

— Acceptez-vous notre aide ? se contenta-t-elle toutefois de demander.

— Comment pourrions-nous la refuser ? répondit Taïs qui semblait encore plus méfiante que sa petite-fille.

La gnome hocha la tête, satisfaite.

— Comme votre demeure n'est plus qu'un amas de pierraille, je vous propose en outre de séjourner dans nos souterrains. Aucune bombe ne pourra nous surprendre.

Taïs fit une courte révérence.

— Votre Majesté est trop généreuse. Comment pourrons-nous jamais vous remercier ?

Varénia esquissa un geste désinvolte de la main.

— Rien ne presse. Nous verrons cela en temps et lieu.

Aïnako n'en douta pas une seconde. « La bonne nouvelle, se dit-elle, c'est que, si je reste en Okmern assez longtemps, je pourrai peut-être la convaincre qu'il y a d'autres moyens que les armes pour reprendre la direction de son royaume. »

Sa grand-mère s'inclina une nouvelle fois avant de s'éloigner pour commencer sans délai la réorganisation de Shamguèn.

Varénia s'approcha d'Aïnako et lui glissa à l'oreille:

— Ne fais pas cette tête-là! Nous n'allons pas vous manger!

Elle se tut une seconde et reprit d'une voix qui paraissait étrangement sincère:

— J'ai quelque chose à te montrer qui te fera peut-être revoir ta définition du bien et du mal.

# 13

## Au fond du cratère

Les ondins repartirent à la tombée du soir. Aïnako aurait aimé qu'ils restent plus longtemps pour pouvoir questionner Zélion au sujet de son père, mais Lubu tenait à éloigner sa fille de l'atmosphère encore poussiéreuse de Shamguèn. La petite princesse insista pour qu'Aïnako vienne leur rendre visite en Uderlain dès que les poseurs de bombes seraient enfermés. En échange, elle lui renouvela sa promesse de l'amener voir l'ancien palais.

Une fois le soleil couché, les trois reines entreprirent d'explorer les décombres avec leurs gardes. Certains gnomes avaient retiré leur cagoule, mais tous avaient conservé leur capuchon. La lune ne renvoyait que très peu de rayons ultraviolets, mais c'était suffisant pour rosir leur peau blanche s'ils s'y exposaient trop longtemps. Aïnako essaya de reconnaître le maître sculpteur de Varénia. Elle constata qu'il était parmi ceux qui n'avaient pas découvert leur visage.

— Restez où vous êtes, dit-il. Je ne fais pas confiance à cette bricole humaine que vous appelez une bombe.

En quelques bonds précis, il traversa l'amoncellement de cailloux qu'avait été la place royale. Sans ailes, n'importe quel elfe se serait cassé le cou, mais il parvenait à tenir en équilibre sur les angles les plus aigus et les pierres les plus instables. Lorsqu'il atteignit le centre des débris, il atterrit solidement sur une arête pointue et s'accroupit.

Il enleva un de ses gants pour poser ses doigts sur la roche. Une onde sembla parcourir les ruines. Les cailloux tremblèrent et les elfes reculèrent. Au milieu des débris, un trou s'ouvrit jusqu'au cratère laissé par la bombe. Une émanation gazeuse s'en exhala. Le gnome se releva pour se jeter en arrière. Une odeur âcre se répandit dans l'air.

— Nous pouvons y aller, annonça Varénia une minute plus tard. Le danger est passé.

— Comment pouvez-vous en être sûre? demanda Taïs.

Aïnako désigna le gnome qui était revenu s'accroupir au centre du monticule après que le nuage toxique se fut dissipé.

— Il vient d'envoyer un message.

Elle ne connaissait pas les codes utilisés par les gnomes, mais elle avait senti les légers coups qu'il avait donnés sur la pierre. Les vibrations s'étaient transmises de caillou en caillou jusqu'aux pieds de ses compatriotes.

— Je ne vous savais pas aussi sensible aux percussions, Majesté, dit Varénia. Il faudra faire attention aux messages que nous nous envoyons en votre présence !

Elle riait, mais Aïnako la soupçonnait d'être on ne peut plus sérieuse. Elle ne partageait pas la haine obsessionnelle que son frère vouait à tous les elfes de la planète, mais elle ne leur faisait pas entièrement confiance non plus. Son visage de porcelaine semblait fluorescent sous les étoiles.

Elle prit un court élan et, entourée de ses gardes, traversa agilement les décombres. On aurait dit qu'ils volaient, tant leurs pas étaient légers. Lorsqu'ils furent tous immobiles, chacun juché sur un caillou branlant, les ruines se remirent à trembler. Les gnomes ne tressaillirent même pas.

Les décombres se mirent à fondre comme de la glace. Les aspérités s'effacèrent et les interstices se remplirent. Une rampe apparut là où, un instant plus tôt, il n'y avait que des gravats. Sidérée, Aïnako entreprit de gravir le monticule à pied. Elle pouvait encore sentir la roche concassée sous la surface plane. Iriel lui emboîta le pas, mais les autres elfes préférèrent la voie des airs. Ils se posèrent prudemment autour des gnomes en gardant leurs ailes déployées pour pouvoir s'envoler à la moindre secousse.

— Étrange! fit Varénia. Je ne perçois rien qui pourrait être à l'origine de cette explosion.

Elle était penchée vers l'avant pour voir à l'intérieur du trou qui s'ouvrait à ses pieds. On aurait dit un puits sans fond.

— Enfin, continua-t-elle, le seul moyen de savoir, c'est d'y aller.

Elle observa les deux reines de Shamguèn avant d'ajouter:

— Je suggère que nous n'amenions qu'un seul de nos gardes. Nous ne pouvons pas descendre à cinquante dans le cratère.

Elle fit un pas en avant et tomba dans le vide. Le gnome qui avait creusé le tunnel la suivit sans hésiter. Aïnako voulut les imiter, mais Iriel la devança. Sans la regarder, il se jeta dans l'obscurité. Elle soupira et sauta à sa suite. Ses ailes raclèrent la pierre. Comme pour la rampe, seule la couche superficielle de la paroi était lisse. Au-delà, les cailloux étaient toujours empilés pêle-mêle dans une pyramide précaire.

Elle chuta longtemps. En dessous d'elle, les

ailes déployées d'Iriel le camouflaient entièrement. Au-dessus d'elle, elle apercevait la lumière verte de Sajra, la chef de la garde de Taïs, qui s'amalgamait à la lueur fade du granit. Ils finirent par déboucher dans une immense grotte où ils tournoyèrent doucement jusqu'au sol, leur aura colorée se reflétant sur la pierre courbe.

Varénia et son garde les attendaient en arpentant le fond du cratère.

En se posant, Aïnako jeta un coup d'œil autour d'elle. On aurait dit l'intérieur d'une bulle; une bulle de roc massif parsemée de crevasses et de dépressions. « Comme la lune à l'envers », songea-t-elle. Il avait fallu des réflexes et une force sans pareils pour arriver à contenir le souffle d'une telle explosion.

Taïs s'approcha des deux gnomes. Près d'elle, Sajra faisait le tour du cratère des yeux. De minuscules cheveux rose pâle tapissaient son crâne qu'elle n'avait pas pu raser depuis la nuit de l'équinoxe. Elle caressait des doigts le pommeau de ses deux épées d'émeraude qui luisaient faiblement en battant sur chacune de ses cuisses.

— Les humains ont de ces inventions! grommela le maître sculpteur.

Aïnako se tourna vers lui et vit qu'il n'avait plus sa cagoule.

— Omkia? s'exclama-t-elle.

Sa voix se répercuta contre l'arrondi de la grotte. C'était la première fois qu'elle le voyait depuis la fin de la guerre. Le visage blanc du gnome était perplexe.

— Ça vous surprend?

Aïnako sentit ses joues se mettre à chauffer. Elle se trouvait au point le plus bas de la cuvette, ce qui lui donnait l'impression que tout le monde la regardait de haut. Seul Iriel n'avait pas la tête tournée vers elle. Ses yeux ne s'attardaient sur aucun détail, mais elle était convaincue que rien ne lui échappait.

— Non, dit-elle avec un sourire embarrassé, je savais que vous étiez doué. Vous m'avez sauvé la vie deux fois, l'été dernier.

Il faisait alors partie de la garde de Valrek, mais agissait à titre d'espion pour le compte de Varénia.

— Ces retrouvailles sont touchantes, ironisa Taïs, mais nous ne sommes pas ici pour faire des mondanités.

Cette fois, Aïnako sentit que c'était tout son visage qui prenait feu.

— Que pouvez-vous nous dire au sujet de cette bombe? demanda sa grand-mère sans tenir compte de son embarras.

Omkia passa une main sur son crâne chauve.

— Absolument rien. Il n'en reste aucune trace.

— Aucune trace ? répéta Aïnako. Comment est-ce possible ?

— Si vous ne le savez pas, répondit Omkia, personne ne le saura.

— Qu'est-ce qui vous fait dire ça ?

Sa question amusa beaucoup le gnome.

— N'avez-vous pas été humaine presque toute votre vie ?

Elle en resta bouche bée. Allait-elle arrêter, un jour, de rougir à tout propos ? Elle se força à rire d'elle-même.

— Oui, c'est vrai que tous les humains apprennent à confectionner des bombes à l'école.

Pendant un instant, le gnome sembla se demander si elle était sérieuse. Il sourit.

— Entre deux séances de dégustation de nourrissons, je présume.

Cette fois, Aïnako n'eut pas besoin de se forcer à rire. Elfes et gnomes menaçaient parfois leurs enfants de les donner à manger aux humains quand ils refusaient de finir leur assiette.

— La bombe, Omkia, fit la voix ennuyée de Varénia. Dis-nous ce que tu sais de la bombe ; on verra après pour les nourrissons.

Omkia s'éclaircit la gorge.

— La bombe, oui. Je ne l'ai perçue qu'une minute avant l'explosion. J'aurais dû me douter de ce que c'était, mais cela me paraissait tellement peu dangereux ! Comme tout le monde, j'avais entendu parler de ces armes humaines capables de pulvériser des milliers de vies en un clin d'œil, mais je m'imaginais un mécanisme plus complexe. Cette chose ressemblait à une grosse boule de pâte.

— Les technologies humaines peuvent être imprévisibles, fit remarquer Taïs.

Elle s'approcha de sa petite-fille et la fixa de son regard perçant.

— Tu as senti la bombe, toi aussi. Saurais-tu de quoi il s'agissait ?

— Non, je ne sais pas. C'est vrai qu'il n'y avait aucun mécanisme électrique ou électronique, mais je suis persuadée que c'était quand même un produit industriel ; une sorte de plastique, ou en tout cas quelque chose qui ne se fabrique qu'en usine ou en laboratoire.

— Un elfe aurait donc volé cette chose aux humains, conclut Varénia.

— Ou un gnome, rétorqua Aïnako qui pressentait que les accusations allaient encore tomber sur les elfes sauvages.

La reine d'Okmern lui adressa un sourire ambigu.

— C'était un elfe, dit-elle sans l'ombre d'une hésitation. Vois par toi-même.

Elle marcha jusqu'à ce que la courbure du sol devienne trop escarpée. Aïnako la suivit et, en haussant les sourcils d'un air sceptique, elle demanda tout bas :

— C'est ce qui est censé me faire réviser ma définition du bien et du mal ?

Varénia esquissa un sourire hautain.

— Pas tout à fait. Je te garde la surprise pour plus tard.

Après avoir passé un de ses doigts tatoués dans une fissure, elle ajouta :

— Je suis tombée là-dessus par hasard, pendant que vous descendiez nous rejoindre. Touche.

Curieuse et un brin méfiante, Aïnako s'exécuta. Une aiguille lui piqua le doigt. Elle crut d'abord que ce n'était qu'une aspérité dans la pierre, mais la sensation qui s'en dégageait était différente. Alors que le roc renvoyait une impression de constance et de solidité, cette aspérité ne dégageait rien. Elle ferma les yeux et essaya de sentir la roche qui l'entourait. La pointe qui lui avait égratigné la peau s'enfonçait loin dans la paroi de la grotte. L'objet était un peu plus large qu'une moustache d'animal et un peu plus long qu'un bras d'elfe.

L'extrémité qui dépassait avait fondu et s'était figée en un pic aussi effilé qu'une épingle.

— C'était bien un elfe, souffla-t-elle en ouvrant les yeux.

— Rien ne prouve que des gnomes ne sont pas impliqués, concéda Varénia, mais nous pouvons certainement affirmer qu'au moins un elfe l'est.

— Et peut-on savoir ce qui vous fait dire ça ? questionna Taïs. Nous ne sommes pas toutes capables de parler aux pierres.

De toute évidence, le fait qu'elle-même en soit incapable la contrariait beaucoup.

— Il y a un autre bout de fibre optique emprisonné dans la roche, répondit Aïnako. Les poseurs de bombes s'en sont probablement servis pour amorcer l'explosif. Seul un elfe aurait pu envoyer une décharge de lumière assez puissante pour faire éclater la bombe.

— Lequel serait constitué de cette masse molle que tu as sentie ?

— J'imagine. Je pourrais faire des recherches pour trouver ce que c'était.

Varénia parut sceptique.

— Vous pourriez faire ça ?

Aïnako sourit. Elle ne détestait pas être la moins ignorante, pour une fois.

— Avec l'Internet, plus rien n'a de secret.

— Et tu crois que ton Internet te permettra

de découvrir qui sont les coupables ? fit sa grand-mère, sarcastique.

Elle avait vraiment un talent fou pour lui gâcher son plaisir.

— Leur identité n'est un mystère pour personne, marmonna Sajra en reniflant d'un air dédaigneux.

— Parce que tout le monde sait que ce sont les elfes sauvages, c'est ça ? répliqua Aïnako en pivotant pour la foudroyer du regard.

— Ce n'est pas moi qui viens de le dire.

— Les elfes sauvages ne feraient jamais ça. Jamais ! Je les connais…

— Euh, fit Omkia à l'autre bout de la grotte. Vous êtes sûre de bien les connaître ?

Sa voix était mal assurée. Ses doigts blancs caressaient distraitement la pierre derrière lui. Il souriait, mais on voyait que c'était un automatisme. Il avait fermé les paupières et semblait absorbé dans ses pensées. D'un bond, Varénia franchit la distance qui les séparait sans qu'un seul de ses orteils n'effleure le fond du cratère. Elle posa sa main près de la sienne. Omkia rouvrit les yeux.

— Ça ne prouve rien, mais…

Il laissa sa phrase en suspens. Aïnako eut l'impression qu'il l'avait observée un instant avant de ramener son regard sur sa reine.

— Qu'y a-t-il ? demanda-t-elle, alarmée.

Varénia hésita, elle qui n'hésitait jamais.

— Je crois que vous devriez venir le constater par vous-même.

Aïnako les rejoignit. La gnome déplaça ses doigts pour qu'elle puisse y poser les siens. Pendant une fraction de seconde, la bulle de roc se transforma en tunnel et une autre main verte en frôla la paroi. C'était visiblement un geste involontaire. L'elfe à qui appartenait cette main avait trébuché et s'était rattrapé.

Cela ne prouvait rien. Sauf que Taïs n'avait jamais laissé un seul de ses sujets s'aventurer sous terre sans gants. Elle avait trop peur que les gnomes captent leurs pensées par la suite. Or, l'elfe en question ne portait ni l'uniforme blanc de l'armée de Shamguèn ni les habits luxueux des officiels du palais. La manche effilochée qui recouvrait son poignet était cousue de bouts de tissu disparates. Comme les vêtements des elfes sauvages.

Déconcertée, Aïnako retira sa main.

— D'habitude, je n'ai accès qu'aux souvenirs de mes parents.

— Je sais, dit Varénia en enlevant elle aussi sa main. Votre sang gnome est trop dilué. C'est moi qui vous ai permis de capter cette image.

— Comment?

— Il suffit que nous touchions la roche en

même temps pour que je vous transmette ce que je perçois.

— Mais ce bout de pierre peut provenir de n'importe où, non ? J'ai perçu que vous rameniez des rochers des profondeurs de la terre et que vous broyiez tous les tunnels ensemble pour contenir l'explosion. Comment pouvez-vous savoir que cette image ne date pas de plusieurs années ?

Omkia haussa les épaules.

— Je le sais, c'est tout. La pierre peut emmagasiner des milliers de souvenirs. Plus ils sont récents, plus leur empreinte est vive. Celui-là date de quelques heures, pas plus. Et je peux vous assurer qu'il arrive du tunnel où se trouvait la bombe. Je peux encore sentir le choc de la détonation. Je suis sûr que vous le pourriez, vous aussi. Il suffit de se concentrer.

— Cette leçon est fort instructive, fit Taïs qui volait sur place au-dessus d'eux. Daignerez-vous nous éclairer sur ce que vous avez vu et qui semble si important ?

— Une main, répondit froidement Varénia. Une main d'elfe, rien de plus.

Aïnako la regarda rapidement. Avait-elle fait exprès de passer sous silence la manche en patchwork ? Probablement. La reine d'Okmern devait bien savoir qu'il s'agissait de la marque de commerce des elfes sauvages. À quoi rimait cette omission ? Et elle, devrait-elle en parler à sa grand-mère ? Si elle se taisait et que ça finissait par se savoir, allait-on l'accuser d'avoir caché des preuves ? Les gnomes pourraient toujours plaider l'ignorance, pas elle. Elle avait assez fréquenté Kaï et les siens pour connaître leurs habitudes vestimentaires. Si elle parlait, son amie allait-elle être encore plus en danger ?

— Une main ? répéta Taïs. Ne me faites pas croire que vous avez fait toute cette histoire pour une simple main.

Varénia ne sourcilla même pas. De plus en plus indécise, Aïnako enfonçait ses ongles dans ses paumes. Taïs n'était pas dupe. Le maître sculpteur lui avait demandé si elle était sûre de bien connaître les elfes sauvages ; c'était forcément qu'il avait découvert quelque chose les concernant.

— Ce n'était pas qu'une main, finit-elle par avouer. C'était une main dans une manche. Une manche toute rapiécée.

— C'était donc bien un elfe sauvage, dit Sajra comme s'il s'agissait d'une victoire.

— La chef de votre garde saute bien vite aux conclusions, rétorqua Varénia en adressant un regard réprobateur à Taïs. Il ne faudrait surtout pas écarter la possibilité d'un coup monté.

La première reine de Shamguèn plissa les yeux. Elle n'avait jamais aimé la demi-sœur de son fils et détestait de se voir obligée de la traiter avec déférence. Elle volait encore sur place et ses ailes devaient commencer à lui faire mal, mais elle refusait de perdre ne fût-ce qu'un nanomètre d'altitude. La courbure du sol l'aurait contrainte à se poser plus bas que sa rivale et son orgueil ne l'aurait jamais supporté.

— On dit que votre maître sculpteur est l'un des plus talentueux d'Okmern. Ne pourrait-il pas retourner dans la tête nécessairement rattachée à cette main et nous révéler les pensées de son propriétaire?

— Le souvenir était trop bref, répondit Omkia en inclinant poliment la tête.

Les gnomes explorèrent chaque recoin de leur bulle de pierre sans découvrir d'autres indices. Lorsqu'ils eurent fini, tous s'entendirent pour retourner en haut et fouiller les ruines.

Taïs et Sajra partirent les premières. Varénia suivit. Elle plia les genoux avant de tendre les jambes pour se propulser jusqu'à l'entrée du tunnel. Une prise surgit de la pierre et elle s'y agrippa. Elle tira sur ses bras pour saisir une autre prise qui jaillit elle aussi de la paroi. Quelques secondes plus tard, elle avait complètement disparu.

Omkia s'apprêtait à la rejoindre quand Aïnako l'attrapa par le poignet. Iriel fronça les sourcils, mais il la laissa faire.

— Attendez, dit-elle. J'ai un service à vous demander.

Le gnome eut un sourire incertain. Elle relâcha son poignet et observa son visage. Ses traits étaient froids et prononcés, mais une candeur franche brillait dans ses yeux. Elle se demanda quel âge il avait. Légèrement intimidée, elle se lança :

— Le passage souterrain qui débouchait à côté du palais…

— Celui que vous avez emprunté l'été passé pour le grand assaut sur la place royale ?

— Est-ce qu'il existe encore ?

— Je ne l'ai pas réduit en purée avec tous les autres si c'est votre question.

— Vous pourriez m'y amener ?

# 14

## Le cadeau de Païlia

Omkia attendit que Taïs et Varénia soient occupées à passer les décombres au peigne fin avec leurs gardes et leurs conseillers. Il s'éloigna discrètement pour sonder la roche et, en faisant attention de ne pas alerter ses compatriotes, il ouvrit un couloir tout neuf vers la grotte parsemée de flaques où Fælkor aimait se réfugier quand il était enfant. Personne ne le remarqua. Les trois reines avaient dû révéler les indices qu'elles avaient découverts au fond du cratère et les elfes sauvages constituaient maintenant le principal sujet de discussion parmi les soldats de Shamguèn et d'Élimbrel, chacun y allant d'une anecdote personnelle illustrant leur stupidité ou leur méchanceté.

Quant aux gnomes, s'ils travaillaient en silence, Aïnako soupçonnait que ce n'était qu'un des effets de leur impeccable discipline.

Plus d'une fois, elle surprit ceux qui ne portaient pas de cagoule à rire discrètement du persiflage des elfes.

Le maître sculpteur lui fit signe de venir le retrouver alors qu'elle commençait à se sentir elle-même des envies de meurtre. Elle craignit d'abord qu'Iriel ne l'empêche d'y aller, mais il se contenta de la suivre en silence le long de l'étroit tunnel. Il s'arrêta à l'entrée de la grotte et ne proféra pas un mot quand elle continua sans lui.

Avant de s'avancer au milieu des stalagmites, elle retira ses bottes en espérant que cela lui permettrait d'accéder à au moins un des souvenirs de son père. La lueur grisâtre qui se dégageait de la roche effaçait les ombres et faussait les distances. Même l'eau qui s'égouttait des stalactites scintillait, tellement elle était chargée de minéraux.

Elle s'approcha de la flaque miroitante où elle avait entrevu le visage de son père enfant, des mois plus tôt. Elle s'apprêtait à s'asseoir quand un léger soupir attira son attention. Une forme était recroquevillée contre une des parois de la grotte, en partie camouflée derrière une colonne de pierre aux contours grotesques. Elle pensa aussitôt à Varénia, mais c'était impossible. La reine d'Okmern était encore à l'extérieur.

Elle se déplaça afin d'avoir un meilleur angle de vue. Les couleurs étaient délavées par le rayonnement de la pierre, mais elle reconnut le visage troué de fossettes de celle qui avait tué son père.

— Pa… Païlia?

La silhouette sombre s'illumina d'un halo aigue-marine.

— Aïnako, dit-elle sans afficher la moindre surprise. Je t'attendais.

— Tu m'attendais?

— Ça fait des mois que je viens ici presque tous les jours pour t'attendre. Tu ne m'en veux pas si je te tutoie, n'est-ce pas? C'est bizarre, mais j'ai l'impression qu'on se connaît déjà.

— Euh, non, vas-y, pas de problème.

Encore sous le choc, Aïnako se tourna vers l'entrée de la grotte. La lumière bleu argenté d'Iriel n'était pas visible, mais il pouvait simplement l'avoir éteinte. Il était le seul elfe de sa connaissance qui ne rechignait pas à rester dans le noir.

— Je ne t'avais pas entendue, continua Païlia. Tu ne fais pas le moindre bruit quand tu marches sur la roche.

Elle écarquilla les yeux en ajoutant:

— Comme Fælkor.

Aïnako baissa la tête pour contempler ses pieds nus qui dépassaient du pantalon vert et brun de son uniforme. Elle se rendit compte qu'elle n'avait toujours pas allumé sa lumière, ce qui n'était pas très poli. Des volutes blanches se mirent à danser entre ses orteils. En relevant la tête, elle réalisa que l'autre ne pouvait pas avoir vu son visage. Païlia était trop loin et le cocon aigue-marine dont elle s'était enveloppée n'était pas assez fort.

— Comment as-tu fait pour me reconnaître ?

Un rire haut perché accueillit sa question.

— J'ai pris un risque. Je savais que tu étais déjà venue et j'étais sûre que tu reviendrais. C'était la grotte de ton père. Tu dois avoir envie de le connaître et je suppose que ta grand-mère ne t'y aide pas beaucoup.

Aïnako ne répondit pas. Païlia ne lui paraissait pas bien dangereuse, mais elle avait l'air bizarre, toute repliée sur elle-même dans son coin ; ses yeux bougeaient trop vite dans ses orbites. Sans lâcher ses genoux qu'elle tenait serrés contre sa poitrine, la meurtrière de Fælkor fronça les sourcils et pencha la tête de côté.

— À moins que, comme elle, tu te penses meilleure que lui ?

— Bien sûr que non, répondit Aïnako.

— Personne n'était meilleur que lui. Personne. Surtout pas moi.

Son visage rond s'affaissa. Ses lèvres tremblèrent quand elle murmura:

— Il était toute ma vie et je...

Elle plaqua ses deux mains sur sa bouche, les yeux écarquillés de terreur. Aïnako revit la lame qui avait traversé le cœur de son père. Elle sentit à nouveau sa douleur, de même que l'amour qu'il éprouvait pour celle qui venait de lui enlever la vie.

— Il t'a pardonné. Avant de mourir, il t'a pardonné.

— Qu'est-ce que t'en sais? jeta Païlia d'un ton presque outré.

Aïnako sortit sa chaîne de sous son t-shirt et lui montra la perle d'agate grise.

— J'ai trouvé ça dans la forêt, l'été passé.

La meurtrière fut instantanément sur ses pieds. Ses mocassins de cuir claquèrent sur le plancher humide. Son pantalon et sa tunique étaient également en cuir, mais un cuir mince et souple, poli par l'usage. Elle ouvrit les ailes et s'avança à la manière d'un spectre. Elle leva une main tremblante vers la bille sans oser y toucher.

— Fælkor... souffla-t-elle.

— Je sais que tu ne voulais pas le tuer. Mon père le savait aussi. Il ne t'en a jamais voulu. Il t'était même reconnaissant.

— Reconnaissant?

Païlia laissa fuser un rire hystérique avant de cracher par terre.

— Il était lâche, voilà ce qu'il était ! S'il avait osé défier sa mère et refuser ce mariage forcé, il serait encore en vie.

Aïnako recula d'un pas. Cette fille était complètement timbrée.

— Il croyait faire ce qu'il y avait de mieux pour les gens de Shamguèn, dit-elle.

Païlia ramena ses yeux couleur de miel dans les siens.

— Tu as raison. La plus lâche, c'était moi. J'avais tellement peur qu'il apprenne la vérité !

— Quelle vérité ?

— Taïs me payait pour être avec lui.

— Taïs te quoi ?

— Elle me donnait tout ce que je voulais. Or, argent, pierres précieuses, grades militaires. En échange, je devais devenir l'amie de son fils. Elle aimait ma fougue. J'étais la meilleure recrue de l'armée et elle disait de moi que j'étais fougueuse, une jeune fille au tempérament fougueux, une soldate pleine de fougue… J'étais tellement impressionnée, tu t'imagines ! La reine en personne qui me complimentait et me demandait de tenir compagnie au prince héritier ! Laisse-moi te dire que j'ai vite déchanté. Il n'aimait rien faire. Il passait son temps à observer la nature, à étudier le comportement des animaux, à faire des croquis d'insectes. Quel tocard !

— Mais tu as tout de même fini par t'attacher à lui.

— Je me suis rendu compte que j'avais tout faux. Je m'étais enrôlée dans l'armée parce que j'espérais que ça ramènerait la paix plus vite, mais je n'étais qu'une imbécile, comme tous les soldats. La guerre ne sert à rien. Si on veut la paix, on n'a qu'à arrêter de se battre. Au fond, les gens aiment bien la guerre ; ça leur donne une raison de vivre, abrutis qu'ils sont !

Aïnako resta silencieuse. Païlia avait raison. Ça faisait moins d'un an que l'armistice avait été signé et la guerre était déjà en train de recommencer. Une autre sorte de guerre, mais la guerre quand même.

— C'est pour ça que tu es tombée amoureuse ? demanda-t-elle. Parce qu'il t'a fait voir ton erreur ?

— Non. J'ai compris que je l'aimais quand j'ai surpris une dispute entre lui et Valrek. C'est là que j'ai appris qu'il était à moitié gnome. Il n'a jamais su que j'avais découvert son secret.

— Ça ne t'a pas rebutée ?

— Non. C'est justement ce qui m'a fait comprendre que je l'aimais.

Les yeux de Païlia étaient ronds et hallucinés.

Aïnako résista à l'envie de faire un pas en arrière. Elle décida de changer de sujet.

— Pourquoi es-tu ici? interrogea-t-elle.

L'autre fit la moue.

— Je voulais te voir. J'étais curieuse.

— Tu aurais pu te présenter au palais, non?

— Pour me faire arrêter? Non, merci! Taïs doit rêver toutes les nuits qu'elle m'étrangle de ses propres mains.

Elle devint soudain très sérieuse quand elle ajouta:

— J'avais aussi peur de toi. J'avais peur que tu me détestes.

— Je ne te déteste pas.

Païlia pencha la tête. Ses cheveux rose pêche tombèrent en couettes devant son visage. Une larme roula sur son nez.

— Tu es trop gentille. Fælkor non plus ne voulait jamais blesser personne.

Elle sortit un objet de sa poche et referma ses dix doigts dessus. Elle porta ses mains à sa bouche et resta immobile. Aïnako attendit un moment. Devait-elle parler? Toussoter pour lui rappeler sa présence? Elle choisit de lui toucher l'épaule dans un geste qu'elle espérait rassurant. Cette fille était folle, mais elle lui faisait pitié.

Païlia tressauta et posa ses grands yeux brillants sur elle. Sans essuyer ses joues ruisselantes, elle sourit et tendit les mains devant elle. Elle déplia lentement ses doigts. Un anneau blanc moiré chatoyait dans sa paume.

— C'était à ton père. C'est de la pierre de lune. Je le lui ai pris quand il est… tu sais… mort.

— Tu le lui as pris ?

— Ce n'est pas comme si j'avais su qu'il allait avoir une fille.

Elle avait encore changé d'humeur. Elle saisit l'anneau entre ses doigts et le lui tendit d'un geste où perçait son irritation. Aïnako le prit en retenant son souffle. Elle avait peur d'avoir une vision devant Païlia, mais elle fut malgré tout déçue quand rien ne se passa.

— Il le mettait presque tous les jours, dit Païlia qui avait retrouvé son air triste.

Aïnako passa l'anneau à son pouce. Toujours aucune vision. C'était probablement comme avec son pendentif ou son épée. Il fallait qu'elle soit en train de vivre quelque chose de similaire à ce que son père avait vécu.

— Tu ne pourras pas te retrouver dans ma tête par accident, hein ? s'enquit Païlia.

— Ça t'inquiète ? demanda Aïnako, méfiante.

— C'est juste que… disons que j'en ai beaucoup voulu à Fælkor quand il m'a laissée pour épouser ta mère. Et elle ! Tu n'as aucune idée de la haine que j'ai éprouvée pour elle. Et pour toi, quand j'ai su que tu étais leur fille. J'ai dit des choses horribles sur les elfes qui ont du sang gnome.

— Il ne t'avait jamais dit qu'il était à moitié gnome ?

Elle savait que la réponse était non. Son père était mort avec son secret. Son secret et sa honte. Païlia secoua la tête. Des sanglots silencieux se mirent à agiter ses épaules. Elle faisait réellement pitié. Aïnako remit sa main sur son épaule.

— Il t'aimait, tu sais. Quand il est mort, il t'aimait.

— Mais il l'aimait aussi, elle.

— Ma mère ? Ils étaient amis, c'est tout.

Païlia cessa de pleurer. Ses yeux se plissèrent.

— Sauf que tu es là, dit-elle.

Aïnako ne trouva rien à répondre. Une silhouette bleu argenté se découpa soudain à l'entrée de la grotte. Païlia sursauta.

— Il est avec toi ? demanda-t-elle, au bord de la panique.

— Oui. Je dois y aller. Comment comptes-tu sortir d'ici ?

— Ne t'inquiète pas pour moi. Je ne suis plus la soldate fougueuse que j'étais, mais je sais encore me débrouiller.

Elle tenta de rire, mais ne parvint qu'à

émettre quelques couinements pitoyables. Son visage redevint anxieux quand elle demanda :

— On se reverra ?

— J'essaierai de revenir dès que je le pourrai. Merci pour le cadeau.

— De rien, répondit Païlia en souriant. Si jamais je n'y suis pas, laisse-moi un message pour qu'on se fixe un rendez-vous.

Aïnako acquiesça sans arriver à lui rendre son sourire. Elle n'avait pas du tout envie de revoir cette folle, mais elle se dit qu'elle le devait à la mémoire de son père. Fælkor avait aimé Païlia. Il lui avait pardonné. Il ne l'aurait jamais laissée seule avec ses démons.

# 15

# MAELSTRÖM

Iriel attendit que la forme nerveuse et aigue-marine de Païlia disparaisse dans le couloir qui menait à l'extérieur de Shamguèn.

— Tu la crois dangereuse? demanda Aïnako en remettant ses bottes.

Sans répondre, il lui fit signe de le précéder dans le passage qu'ils avaient emprunté à l'aller. Il semblait encore plus froid que d'ordinaire. Elle repensa à ce que Païlia lui avait dit. Fælkor et Silmaëlle n'avaient peut-être pas choisi de se marier, mais elle était quand même là pour prouver qu'ils n'avaient pas été que des amis.

— Je ne pensais pas ce que j'ai dit, tu sais, après notre visite au campement de Kaï, la nuit de l'explosion. Ma mère n'était pas ravie de devoir te quitter. Tu n'es pas devenu comme ton père.

Ses yeux noirs la transpercèrent. Elle se força à ne pas baisser les siens.

— Je l'ai vu, continua-t-elle. J'ai vu ton père dans un des souvenirs de ma mère. C'était il y a une soixantaine d'années, je dirais. Vous étiez allés voir mon oncle jouer dans un bar, dans le monde des humains. Il avait un groupe de jazz. Ton père est arrivé et il t'a frappé devant tout le monde. Sans avertissement. Et ça, tu vois, c'est quelque chose que tu ne ferais jamais.

Iriel la regardait toujours aussi intensément. Elle avala sa salive et poursuivit :

— Tu ne frapperais jamais quelqu'un par-derrière. Surtout si c'est quelqu'un de plus faible. C'est pas que tu aies jamais été faible, bien sûr, mais… c'était ton père. Quand il t'a ordonné de tuer mon oncle et ma tante, tu étais horrifié. Tu n'es pas devenu comme lui.

— N'en sois pas aussi sûre.

Ses lèvres avaient à peine bougé. Sa voix était si basse qu'elle se serait perdue s'ils eussent été ailleurs que dans cette grotte qui exagérait tous les sons. Il baissa les yeux vers ses mains à elle.

— Je me souviens de cet anneau. C'est Melkor qui l'a offert à ton père.

Elle observa la bague qui ornait son pouce. Des filaments de lumière blanche s'enroulaient autour de la pierre de lune comme de la brume. Elle releva la tête, confuse.

— Comment peux-tu le savoir ?

Il jeta un coup d'œil vers le tunnel où Païlia s'était éclipsée.

— Elle t'a dit que personne n'était meilleur que lui. Elle avait raison. Je n'ai jamais connu quelqu'un de plus honorable.

La bouche d'Aïnako s'ouvrit toute seule. Elle la referma et battit des paupières. Iriel avait connu son père ? Iriel avait de l'estime pour son père ?

— Pourtant, enchaîna-t-il, je n'ai rien trouvé de mieux à faire que de l'attaquer. La première chose que je lui ai dite, c'est que je ne souhaitais pas sa mort, mais sa souffrance. Je voulais assister à sa déchéance, je voulais qu'il me voie m'en réjouir, qu'il sache que son existence n'avait été qu'une…

— … une lutte inutile, compléta-t-elle inconsciemment.

À la voix rauque et tranquille d'Iriel s'était superposée une seconde voix acerbe qui la fit frissonner. Ses mots dédoublés résonnaient sous son crâne en lui donnant le vertige : « Alors même que la vie te fuira, tu me regarderas et tu sauras que tout ce que tu as fait n'aura servi à rien. »

Les yeux opaques du chef de sa garde la clouaient sur place. Le bruit des gouttes tombant dans les flaques avait été remplacé par un étrange clapotis. Des reflets glauques papillotaient à la périphérie de son champ de vision.

Iriel recula brusquement et lui tourna le dos. De longs cheveux noirs encadraient les quatre cônes serrés de ses ailes tout aussi noires.

La voûte grise de la grotte s'était changée en un lacis d'arches arachnéennes au-delà desquelles on apercevait des tours de coquillages, des passerelles de corail, des colonnes d'algues vertes, bleues et pourpres, des méduses fluorescentes et des oursins couverts de piquants qui flottaient dans le vide.

Sous ses pieds, le sol était devenu tiède et lisse. D'un rose très pâle, il réfléchissait les lueurs mouvantes de l'étendue liquide qui semblait reposer sur les arêtes fragiles des arches.

Des mèches blanches lui bloquèrent la vue quand elle pencha la tête. Elle les repoussa derrière ses oreilles en tentant d'apaiser les battements de son cœur. Ses mains tremblaient. Elle se mordit la lèvre en faisant nerveusement tourner l'anneau de pierre de lune qu'elle portait maintenant à l'annulaire.

Lentement, sans qu'elle en ait vraiment conscience, elle se fondit aux pensées de son père.

Il était venu demander l'aide du prince ondin. Maintenant que le conflit entre Shamguèn et Élimbrel était terminé, Taïs s'était mise en tête d'attaquer Okmern avant qu'Okmern ne l'attaque. Elle avait ourdi le plan absurde d'inonder les souterrains des gnomes. Fælkor savait que Lubu n'accepterait jamais. Il le connaissait assez pour prédire sa réaction. Ce plan lui ferait autant horreur qu'à lui-même.

Quand l'ondin qui l'avait accueilli sur la berge du lac pour le conduire en Uderlain lui avait annoncé qu'un autre elfe se trouvait déjà sous l'eau, il avait pensé à Silmaëlle. Il s'était rendu compte trop tard de son erreur.

Son sang s'était figé dans ses veines dès que ses orteils avaient déchiré la barrière immatérielle qui séparait la salle des visiteurs du reste du lac. Iriel aussi s'était pétrifié en le reconnaissant. Ils ne s'étaient jamais adressé la parole, mais ils s'étaient croisés à quelques reprises lors des rencontres officielles qui avaient mené à la signature du traité de paix entre leurs royaumes. Fælkor avait essayé de lui sourire, mais le commandant de l'armée d'Élimbrel lui avait pratiquement sauté à la gorge.

« J'assisterai à ta déchéance et je m'en réjouirai, avait-il dit. Ta vie n'aura été qu'une lutte inutile. »

Fælkor avait frissonné. Pour la première fois de son existence, il avait eu réellement peur de mourir. Ce guerrier au regard insondable l'abhorrait de toute son âme. Pire, on aurait dit qu'il ne vivait que pour l'exécrer.

Iriel lui faisait maintenant dos. Il ne portait pas son uniforme de commandant, mais son épée était attachée à sa ceinture. Après avoir déversé tout son fiel sur son rival, il semblait déterminé à faire comme s'il n'existait pas. Ou il tentait de se calmer pour éviter de l'assassiner en plein cœur d'Uderlain.

Fælkor avait encore le cœur qui battait à tout rompre, mais la terreur que lui avait d'abord inspirée le guerrier se dissipait à mesure qu'il étudiait ses épaules voûtées et ses poings tremblants. Au fond, il lui faisait pitié. Ses paroles cruelles n'avaient été que l'écho de son propre désespoir.

Les longs doigts vert pâle du prince de Shamguèn continuaient de manipuler l'anneau de pierre de lune tandis qu'il scrutait le dos d'Iriel. Il aurait aimé lui dire qu'il était désolé. Il aurait aimé se jeter à genoux devant lui et quémander son pardon. Il se rendit compte que, malgré sa peur, il aurait aimé qu'il le tue. Sa vie n'avait-elle vraiment été qu'un échec? Les sacrifices qu'il s'était imposés et qu'il avait exigés de Silmaëlle allaient-ils s'avérer inutiles ou même nuisibles?

Un banc de poissons argentés agita le mur liquide qui s'étendait entre les arches rosées. Fælkor tressaillit. L'anneau lui glissa des mains. Il essaya de le rattraper, mais...

Pendant une seconde, tout devint noir et Aïnako eut à nouveau conscience d'elle-même. Le vrai Iriel était devant elle, mais elle retomba dans son rêve avant de pouvoir articuler un son.

L'Iriel de la vision lui faisait maintenant face, comme dans la réalité. Il avait ramassé l'anneau et le rendait à son propriétaire. La haine qui brillait dans son regard semblait s'être intensifiée. Fælkor retenait son souffle. Ils tenaient chacun un côté du cercle chatoyant.

Iriel baissa les yeux sur l'objet. Il s'apprêtait à le lâcher quand quelque chose accrocha son attention. Il fit tourner l'anneau et fronça les sourcils en lisant la délicate inscription gravée à l'intérieur.

Le cœur du prince s'arrêta. Il avait lu ces mots des milliers de fois. À Fælkor, mon fils, mon espoir, Melkor.

Le commandant d'Élimbrel lui laissa enfin son bien.

— Silmaëlle sait-elle qu'elle s'apprête à épouser un bâtard ?

Incapable de répondre, Fælkor eut du mal à remettre le bijou à son doigt, tellement ses mains tremblaient. Iriel eut un éclat de rire cinglant.

— Je te croyais stupide et naïf, mais tu es aussi manipulateur que ta mère. Combien de pierres as-tu touchées depuis que les portes du palais te sont grandes ouvertes? Combien de secrets as-tu découverts à l'insu de ta future épouse?

— Je... je ne peux voir que les souvenirs de ma famille... ma mère, mon père, mon demi-frère et ma demi-sœur.

— Ça, c'est ce que tu prétends. Peut-être que tu mens.

Iriel s'avança de sa démarche de prédateur. Il était moins grand que Fælkor, mais la sauvagerie froide qui se dégageait de chacun de ses mouvements aurait glacé le sang des brutes les plus impitoyables.

— Je pourrais t'éliminer maintenant. Personne ne m'en tiendrait rigueur quand je leur dirais que tu n'étais qu'un espion.

Sa voix monocorde rendait ses propos encore plus effrayants. Fælkor recula malgré lui. Iriel éclata d'un rire glacial.

— Silmaëlle sait-elle qu'elle s'apprête à épouser un bâtard doublé d'un couard?

— Je ne suis pas un couard, souffla Fælkor.

Jamais personne ne l'avait regardé avec autant de haine. Jamais personne n'avait désiré sa mort avec autant de ferveur.

— Prouve-le, dit Iriel.

D'un geste rapide, il tira son épée du

fourreau. Le pommeau brillait déjà d'une auréole bleu argenté.

Fælkor réagit instinctivement. Il leva les bras avec la certitude qu'il allait mourir. Iriel avait cédé à sa folie. Il allait le tuer et se réjouir de sa mort.

Une brûlure fulgurante lui déchira les entrailles. « Je meurs ! » pensa-t-il. Mais la lame translucide n'était même pas dirigée sur lui. Le commandant lui présentait son arme par la poignée.

La douleur ne fit que s'intensifier. Fælkor se plia en deux. Il cria. Une explosion se produisit à l'extérieur de sa cage thoracique. Chaque cellule de son corps s'enflamma. Une vague lumineuse déferla sur le monde. Iriel fut soufflé tel un brin d'herbe. Les arches délicates se brisèrent et des centaines de litres d'eau s'abattirent sur le sol.

Fælkor resta immobile. L'eau ne l'atteignit pas. Il flottait, porté par la force de la lumière qui continuait à jaillir de sa poitrine.

Aveuglé, le souffle coupé par la souffrance, il réussit à reprendre juste assez ses esprits pour se dire qu'il devait sauver Iriel. Silmaëlle ne lui pardonnerait jamais de le laisser mourir.

Il se força à prendre une longue inspiration et fit comme lorsqu'il essayait d'extraire un souvenir de la pierre. Il trouva la pulsation qui faisait vibrer la masse lumineuse et accorda son pouls en conséquence. Il ne fut pas surpris de constater que son cœur battait déjà au rythme de sa lumière. Toutes les couleurs s'entremêlaient autour de lui, étourdissantes. Une par une, elles retournèrent vers leur point d'origine, juste en dessous de son nombril.

Quand la dernière disparut, l'eau le percuta.

Conscient qu'il avait déjà perdu trop de temps, il chercha Iriel des yeux. La salle des visiteurs était complètement détruite. Des bouts de nacre tourbillonnaient dans le maelström qu'il avait créé. Il remarqua avec un pincement au cœur que des méduses et des oursins avaient été touchés. Du sang se diluait dans l'eau autour d'eux. Quelques ondins nageaient avec empressement dans tous les sens. Aucun ne lui accorda d'attention. Personne ne comprenait ce qui venait de se produire.

Fælkor ignora la terreur coupable qui venait de le gagner. Iriel était en train de dériver un peu plus loin. Une bulle lumineuse l'enveloppait, guérissant ses blessures et régénérant ses cellules en manque d'oxygène. C'était suffisant pour le moment, mais, s'il ne sortait pas bientôt de l'eau, il se noierait. Même s'il semblait inconscient, chacun de ses muscles était tendu à l'extrême et ses doigts serraient convulsivement la poignée de son arme.

Fælkor battit des jambes et des ailes. Il enroula ses bras autour de son rival et l'entraîna loin du palais. Il résista à la tentation de remonter en ligne droite. Dès qu'il quitterait la zone protégée d'Uderlain, il se retrouverait au fond d'un lac glacial, à la merci des brochets et des achigans. Il obliqua plutôt vers le canal souterrain qui débouchait tout près de la plage de galets où son guide était venu le cueillir un peu plus tôt.

Le trajet dura une dizaine de minutes. Le corps inanimé qu'il traînait entravait ses mouvements, mais il ne le lâcha pas. Il crut plusieurs fois qu'il n'aurait pas la force de se rendre jusqu'au bout. Sa propre lumière l'enveloppait d'un œuf multicolore qui effaçait le rayonnement de la pierre et qui aiguisait sa vue.

Ses membres étaient tétanisés par le froid et le manque d'oxygène, mais une force qu'il n'avait jamais ressentie auparavant les empêchait de se rigidifier. Il était au bord de l'évanouissement quand il émergea enfin à la surface du lac parsemé de nénuphars jaunes. Il traîna son fardeau jusqu'à la berge et s'effondra.

Il se réveilla avec une épée pointée sur son front.

Les cheveux ruisselants, Iriel se tenait debout au-dessus de lui. Son visage était à contre-jour, mais la lueur qu'émettait la lame suffisait à l'éclairer. Dans ses yeux, la haine avait fait place à une confusion mêlée d'une autre émotion que Fælkor n'arriva pas à identifier.

— Pourquoi m'as-tu sauvé ? J'étais pourtant prêt à te tuer.

— Tu m'as présenté ton épée par la garde. Tu ne voulais pas me tuer.

— Quel honneur y aurait-il eu à abattre un demi-elfe même pas foutu de se défendre ?

— Même si tu m'avais donné ton épée, je n'aurais pas pu me défendre.

— Tu as pourtant réussi à m'assommer et à me traîner jusqu'ici.

Ils restèrent silencieux quelques minutes à se fixer dans les yeux. Iriel finit par ranger son épée. À la grande surprise de Fælkor, il lui tendit la main pour l'aider à se relever.

— Tu la rendras plus heureuse que moi, murmura-t-il quand ils furent face à face.

Aïnako revint à elle. Iriel était toujours là. Le film de lumière qui dansait sur sa peau était trop ténu pour dissiper la lueur sinistre de la grotte.

— Mon père avait réussi à contrôler sa lumière, dit-elle dans un souffle. Il aurait probablement pu détruire Okmern au grand complet, mais il a choisi de garder le silence.

Iriel plissa les yeux, signe qu'il écoutait. Elle poursuivit, abasourdie :

— Quand vous vous êtes rencontrés en Uderlain, il était là pour demander à Lubu d'aider Shamguèn à détruire Okmern.

— Il voulait détruire Okmern ?

— Non, justement. C'était Taïs. Elle voulait inonder Okmern avant que Valrek se décide à envahir Shamguèn. Si mon père lui avait révélé qu'il avait enfin trouvé sa lumière et qu'elle était assez puissante pour raser une section du palais d'Uderlain, qui sait ce qu'elle aurait exigé de lui ? Il a préféré continuer à passer pour un lâche et un incapable.

Les lèvres d'Iriel s'entrouvrirent, mais il ne dit rien. Il avait la même expression que lorsqu'il pointait son épée sur le front de Fælkor.

— Tu l'admirais ! s'exclama Aïnako.

C'était ça, l'émotion que son père n'avait pas pu identifier. Iriel parut surpris. Il n'avait presque pas bougé, mais elle le connaissait maintenant assez bien pour déceler chez lui les changements les plus infimes.

— Il t'a sauvé la vie, continua-t-elle. Il avait

peur de toi, mais il a risqué sa vie pour sauver la tienne.

— Il a fait ce que je n'aurais jamais fait.

— Tu l'aurais sauvé, toi aussi.

C'était une affirmation. Iriel aurait sauvé son père, elle en était convaincue. Même s'il le détestait, il ne l'aurait pas laissé mourir.

— Tu connaissais son secret et tu ne l'as jamais révélé, dit-elle comme s'il s'agissait d'une preuve.

Iriel détourna les yeux pour inspecter les ténèbres du tunnel.

— On ferait mieux d'y aller avant que ta grand-mère envoie ses troupes après toi.

# 16

## Sous les verrous

Pendant qu'ils refaisaient le chemin à l'envers, Aïnako jouait avec l'anneau qui encerclait son pouce. Son père l'avait porté à l'annulaire, mais ses mains à elle étaient plus petites. Elle essayait de sentir la pulsation de la pierre de lune, mais elle avait de la difficulté à se concentrer tout en regardant où elle mettait les pieds. Tout ce qu'elle perçut, ce furent des images de son père flottant au milieu de la sphère multicolore qui avait détruit une aile de l'ancien palais d'Uderlain.

« Il a réussi à dompter sa lumière, se répétait-elle en boucle depuis qu'ils avaient quitté la grotte. Il a réussi à l'apprivoiser sans se laisser dominer par elle. »

Elle était capable d'utiliser sa propre lumière, bien sûr. Elle pouvait jeter des vagues et des éclairs sur un ennemi. Elle pouvait s'envelopper d'une aura blanchâtre pour éclairer autour d'elle. Une fois, elle était même parvenue à produire un nuage vaporeux pour aider Olian à guérir. Mais elle était incapable d'en exploiter la pleine puissance. Sa lumière jaillissait parfois de sa cage thoracique sans qu'elle en ait conscience, comme c'était arrivé à son père. Sauf que, lui, il avait réussi à maîtriser cette force. « Si seulement j'arrivais à comprendre comment il a fait ! »

Son père avait appliqué la technique qu'il utilisait pour extraire les souvenirs des pierres, mais elle-même ne savait pas comment s'y prendre. Elle arrivait à voir l'anneau dans son esprit, mais elle ne percevait aucune pulsation. Ce n'était qu'un objet inanimé.

En obliquant dans l'escalier que le maître sculpteur leur avait creusé, elle retira l'anneau et le rangea dans sa poche. Elle ne désirait pas que Taïs le reconnaisse et lui demande où elle l'avait trouvé.

La voix sèche et aigrelette de la première reine de Shamguèn leur parvint avant même qu'ils n'entrevoient la lueur des étoiles.

— Tu es bien la fille de ma sœur ! Sournoise et menteuse !

« Kaï ! » pensa Aïnako. Son amie était la seule fille de Tsamiel. Et Tsamiel était la seule sœur de Taïs.

Elle faillit trébucher sur les dernières marches, tant elle se dépêcha de les gravir. Dès qu'elle eut assez de place pour ouvrir les ailes, elle s'envola. Les soldats avaient fini d'explorer les restes de la place royale. Ils étaient rassemblés non loin des ruines et formaient un cercle compact autour d'un groupe d'elfes vêtus d'habits en patchwork aux couleurs affadies par la saleté. Parmi eux, une tête aux épais boudins jaunes se tenait plus droite que les autres.

— Vous ne m'avez pas laissée placer un mot ! se récria la chef des elfes sauvages.

Aïnako se posa devant son amie, entre les prisonniers et la rangée d'épées dirigées sur eux. Iriel tenta de l'éloigner des armes effilées, mais une rapière d'acier égratigna tout de même le bout délicat d'une de ses ailes et elle vit une autre lame se retirer vivement en effleurant le fin duvet crème qui les tapissait. C'était une lame de topaze.

Elle se retourna. Éléssan avait levé son épée mordorée devant son visage comme pour saluer un adversaire. Il avait son expression grave de commandant. À ses côtés, Naïké pointait toujours sa lame de rubis sur les prisonniers, mais sa poigne d'ordinaire si ferme manquait de tonus. Elle ouvrit une bouche aussi consternée que muette, mais ne bougea pas.

— Qu'est-ce que vous faites? demanda Aïnako en les dévisageant.

Ce fut le chef des sentinelles chargées de garder la porte d'entrée du royaume qui répondit:

— Ils se sont introduits illégalement en Shamguèn.

— Faux! s'insurgea Kaï. On s'est présentés à la porte en bons petits elfes bien élevés et on nous a passé les menottes.

Aïnako remarqua les anneaux noirs qui encerclaient les poignets des prisonniers. Le regard hostile que chacun d'eux posait sur elle lui donna l'impression que c'était elle qui les avait menottés. Son amie la fixait d'un œil noir qui lui fit comprendre qu'elles n'étaient plus si amies que ça.

Taïs se glissa entre deux soldats pour se planter en face de sa petite-fille.

— Il est trop tard pour jouer les justicières. Nous avons déjà décidé de leur sort. Tu n'avais qu'à ne pas aller t'amuser, au lieu de nous aider.

Offensée, Aïnako voulut se défendre.

— Je ne suis pas allée m'amuser, je…

Elle se rendit compte que tout le monde l'observait et elle s'interrompit. Les conseillers de Shamguèn exhibaient un sourire en coin, préparant sous doute un ou deux commentaires désobligeants. Ceux d'Okmern haussaient les sourcils devant ce qu'ils considéraient comme un signe d'immaturité. Même Zoïrim avait une mine désapprobatrice. Seuls les soldats n'avaient pas tourné la tête vers elle, trop occupés à pointer leur épée sur les captifs.

Son regard tomba alors sur Olian. Son bras armé était levé aussi haut que celui des autres, mais ce n'était pas les elfes sauvages qu'il surveillait. Ses yeux allaient de gauche à droite et, malgré la distance, elle pouvait voir la flamme rouge qui y brûlait. C'était les autres soldats qu'il guettait. Tout son corps était tendu, prêt à bondir pour défendre Kaï s'ils décidaient de passer à l'attaque.

— Vous recherchiez un réconfort bien mérité, dit Varénia qui s'était elle aussi approchée d'Aïnako. Vous avez une fois de plus esquivé la mort de justesse et vous avez eu envie de renouer avec le souvenir de votre père ; c'est normal.

Son visage n'exprimait que bienveillance, mais sa voix sonnait faux. Pour Aïnako, ce ne fut qu'une humiliation de plus.

Elle serra les poings pour se donner du courage. À côté d'elle, Iriel semblait totalement indifférent à ce qui se passait autour de lui. Par contre, quand elle fit un pas pour s'éloigner de Taïs et se rapprocher de Kaï, il bougea en même temps qu'elle, d'un mouvement tellement nonchalant qu'on aurait pu croire que ce n'était qu'une coïncidence. Ses mains n'étaient ni dans ses poches ni sur son épée. Ses bras tombaient mollement de chaque côté de son corps, mais ses doigts bougeaient très doucement, comme pour éviter de rouiller. « Il se tient prêt à me tirer d'ici si les choses se gâtent », réalisa-t-elle.

Les soldats n'allaient quand même pas l'attaquer ! Mais le feraient-ils, si elle s'opposait réellement à eux ?

— Pourquoi êtes-vous ici ? demanda-t-elle à son amie.

Ce fut encore le chef des sentinelles qui répondit :

— Ils revenaient sur les lieux du crime après avoir constaté leur échec, ça ne fait aucun doute.

— Ah oui ? répliqua Kaï. Vous croyez vraiment qu'on se serait présentés devant l'entrée principale si on avait quoi que ce soit à se reprocher ?

— Pourquoi êtes-vous ici ? répéta Aïnako.

Elle cherchait à accrocher le regard de son amie pour retrouver leur ancienne complicité.

— Je savais que tu venais de rentrer, répondit Kaï d'une voix fluette et froide. On venait vous faire part de notre version des faits, à toi et à ta grand-mère. Pas pour l'effondrement de la place royale, évidemment, vu qu'on n'en savait rien, mais pour le meurtre du gouverneur et la destruction du palais de Lilibé.

— Pourquoi ne pas vous être présentés devant Silmaëlle ? interrogea Aïnako. Ces deux événements relèvent pourtant de son royaume.

— Parce qu'on avait peur de se faire arrêter. Ironique, non ?

Aïnako avait l'impression que les captifs la tenaient pour responsable de leur arrestation. Elle regarda encore son amie en s'efforçant de lui faire comprendre qu'elle était de son côté.

— Vous auriez dû envoyer un message à ma mère. Elle vous aurait écoutés, j'en suis sûre. Elle ne pense pas que vous avez assassiné Anlis.

Kaï lui adressa un sourire amer.

— C'est gentil de nous faire la morale, mais on préférait ne pas donner à nos pourfendeurs une piste pour nous retrouver.

Aïnako planta ses ongles dans ses paumes. Bien sûr ! Pourquoi n'y avait-elle pas pensé ? Elle ne faisait vraiment que des erreurs ! Elle voulait se réconcilier avec Kaï et elle ne réussissait qu'à empirer les choses.

— Tu as raison, dit-elle. J'ai parlé sans réfléchir, comme d'habitude.

Quelques gloussements sarcastiques se firent entendre, tant chez les prisonniers que chez les conseillers.

— Je voulais seulement savoir ce que tu avais à dire.

Sa voix s'était mise à trembler. Elle serra encore plus fort les poings. Le sourire de Kaï s'adoucit.

— Fouille dans ma poche, dit-elle en baissant les yeux sur sa robe rapiécée.

Taïs s'avança au-devant de sa petite-fille, craignant sans doute qu'elle ne lui vole la vedette. Elle enfonça sa main si brusquement dans la poche de Kaï qu'on entendit des fils claquer en se rompant. Elle en ressortit un caillou terreux qu'elle exhiba à la hauteur de son visage.

— C'est une blague ?

Kaï ne se démonta pas.

— Non, c'est une pierre. On l'a trouvée près de l'endroit où Anlis a été assassiné.

— Et c'est censé vous disculper ?

— Cette pierre n'aurait pas dû se trouver là. Elle aurait dû se trouver à des lieues sous terre.

Cette information fit rire Varénia.

— Qu'est-ce qu'une elfe comme toi connaît aux pierres ?

— Nous sommes des elfes sauvages. Nous voyageons beaucoup et nous connaissons beaucoup de choses.

— Alors, poursuivit plaisamment la reine d'Okmern, d'après toi, qu'est-ce que ce bout de roche peut bien signifier ?

— Que des gnomes ont visité la scène du crime peu de temps avant ou après le meurtre d'Anlis.

Le sourire de Varénia vacilla, mais elle le cacha sous une mine méprisante.

— Aurais-tu du sang gnome, toi aussi, pour oser affirmer une telle grossièreté ?

— Si vous ne me croyez pas, analysez-le vous-même.

Cette fois, le sourire de Varénia disparut tout à fait. Elle se retourna vers son maître sculpteur et, d'un mouvement sec, lui fit signe de rappliquer. Omkia rangea son épée d'acier et se faufila entre les armes tranchantes de ses semblables pour la rejoindre.

— Vous n'allez tout de même pas céder au chantage de cette impertinente ? s'indigna un des deux conseillers d'Okmern.

La reine le toisa en plissant les yeux. Aïnako remarqua qu'il ne l'avait pas appelée Majesté ainsi que l'aurait voulu l'étiquette.

— Je ne cède à rien. Je veux connaître la vérité, voilà tout. Omkia, la pierre !

Taïs lui présenta le caillou qui reposait dans sa paume ouverte. Aïnako eut l'impression que le gnome faisait attention pour ne pas effleurer sa peau pendant qu'il le lui prenait. Il le serra dans son poing et ferma les yeux une seconde. Il n'eut pas besoin de plus de temps pour analyser les informations qu'il contenait.

— L'elfe dit vrai. Cette pierre n'aurait pas dû se trouver là. Elle a été remontée des profondeurs de la terre il y a environ une semaine.

— Par des gnomes ? demanda Varénia.

Elle arborait un air de profond scepticisme, mais un tic nerveux agita ses doigts quand Omkia lui remit la pièce à conviction.

— Si c'est le cas, dit-il, ils n'ont pas touché à ce caillou. J'arrive à retracer son vécu entre le moment où il a été abandonné dans la neige et celui où les elfes sauvages l'ont ramassé, mais, avant ça, il n'y a que les ténèbres et le silence. Je ne vois rien qui puisse nous indiquer l'identité du ou des coupables.

Varénia observa encore le caillou. La terre logée dans les sillons qui le parcouraient avait la même couleur que les serpents tatoués sur ses doigts.

— Tu iras investiguer, ordonna-t-elle à Omkia. Nous retournerons la terre entière s'il le faut, mais nous retrouverons ceux qui sont responsables de la présence de ce morceau de roche.

— Allons ! s'écria le second conseiller d'Okmern. Vous ne pouvez pas sincèrement croire qu'un gnome soit impliqué dans cette sordide affaire !

Aïnako nota encore une fois l'oubli du titre. Les yeux de Varénia n'étaient plus que deux fentes venimeuses.

— Je ne crois rien pour le moment, mais, si des gnomes sont effectivement mêlés de près ou de loin à cette histoire, je crois que, pour une fois, je ne m'insurgerai pas contre les lois aberrantes de mon frère.

Aïnako crut voir son regard dévier vers elle pendant une fraction de seconde. Elle se demanda si cela avait un rapport avec ce qu'elle voulait lui montrer et qui allait soi-disant chambouler sa vision du bien et du mal. Elle savait que Valrek avait fait édicter des lois cruelles que Varénia avait échoué à faire abroger, mais elle en ignorait les détails. Le conseiller releva le menton.

— Votre frère n'aurait jamais laissé des gnomes se faire accuser de la sorte par des elfes, qui plus est par des elfes sauvages.

— Mon frère est en prison ! cracha Varénia dans un rare accès de colère.

Elle était habituellement assez maîtresse de ses émotions, mais la seule mention de Valrek suffisait à la faire sortir de ses gonds. Un sourire suffisant se dessina sur les lèvres de ses conseillers. Aïnako profita du silence pour ramener la conversation sur le sort des captifs.

— J'imagine que nous pouvons libérer Kaï et les siens, maintenant qu'ils nous ont dit ce qu'ils venaient faire ici.

— Je ne crois pas, Majesté, répondit Zoïrim en secouant ses petits cheveux bleus d'un air gêné. Qu'on le veuille ou non, ils sont les seuls suspects que nous ayons. Ils pourront reprendre leur liberté lorsque nous les aurons interrogés et qu'ils auront démontré leur innocence et leur bonne foi.

— Mais ils ne peuvent pas être suspects tant qu'on n'a pas trouvé de preuve ! Pour l'instant, tout ce qu'on a, c'est des préjugés !

— Ils se sont rebellés, lui rappela Zoïrim, visiblement mal à l'aise.

— Mais ce n'est pas une preuve, ça !

Taïs frappa dans ses mains pour la faire taire.

— Ce n'est peut-être pas une preuve, mais c'est assez pour nous donner le droit et même le devoir de les garder sous les verrous. Je veux bien croire que les humains laissent leurs criminels se promener librement en toute impunité en se disant que leur vie est déjà assez courte comme ça, mais les lois d'ici sont différentes. Nous préférons ne courir aucun risque. Ta naïveté est touchante, mais une reine doit être sévère, quand la situation l'exige.

Aïnako se sentit devenir cramoisie. Elle

retint l'envie qu'elle avait de se tourner vers Éléssan et Naïké pour chercher du soutien. Elle passerait encore pour une gamine incapable et, de toute façon, ils ne feraient rien. Même s'ils ne désiraient pas l'emprisonnement des elfes sauvages, ils devaient obéir à la loi.

— Tu ne voudrais pas qu'un nouvel attentat se produise? continua sa grand-mère, impitoyable.

Dans une réunion officielle, elle aurait probablement baissé la tête et gardé le silence, mais un seul regard aux menottes de diamant noir de Kaï la poussa à reprendre la parole.

— S'il y avait un nouvel attentat, ce ne serait pas à cause d'eux.

— La seule façon de nous en assurer, c'est de les garder sous surveillance. S'ils sont libres de leurs allées et venues, comment prouveras-tu qu'ils ne sont pas responsables?

— Mais, même si on les enfermait, ça ne prouverait rien. Ils ne sont qu'une dizaine, alors qu'il y a des centaines, peut-être des milliers d'elfes sauvages en liberté sur le territoire d'Élimbrel.

Taïs eut un sourire satisfait.

— Bien, tu es au moins capable de comprendre ça! Je pensais devoir te l'expliquer, mais tu sembles enfin prendre ton rôle de seconde souveraine de Shamguèn au sérieux.

Aïnako avait l'impression que quelque chose lui échappait. Taïs s'approcha de Kaï, un sourire faussement navré aux lèvres.

— Tu comprends, n'est-ce pas ?

— Et après, vous dites que c'est moi la sournoise !

Taïs se tourna vers Varénia.

— Si vous voulez toujours nous aider à arrêter les auteurs des attentats, vous pouvez commander dès aujourd'hui à vos troupes de patrouiller les environs et d'arrêter tous les elfes sauvages qu'ils croisent. Ma petite-fille et moi ferons de même avec les nôtres.

— Quoi ? s'écria Aïnako. Je n'ai jamais approuvé ça !

— Tu as affirmé qu'il ne servait à rien de n'enfermer qu'une dizaine de suspects alors qu'il y en a des centaines en liberté.

— Je n'ai jamais…

Elle s'interrompit en réalisant que c'était exactement ce qu'elle avait dit. Scandalisée, elle se tourna vers Kaï qui la fixait avec de grands yeux accusateurs. Elle voulut s'excuser, mais l'air n'entrait plus dans ses poumons.

— Emmenez les prisonniers ! ordonna Taïs aux soldats.

Aïnako croisa le regard d'Olian et baissa les yeux, incapable de soutenir leur absence d'émotion. Elle le regretta aussitôt, mais, quand elle releva la tête, il commençait déjà à s'éloigner avec les autres.

# 17

## L'ANTRE DE VALREK

Le palais d'Okmern n'était pas vraiment un palais. Aucune tour ne trouait le ciel et aucun rempart n'en défendait l'accès.

Ce n'était pas avec les yeux qu'il fallait l'admirer, mais avec l'esprit.

Composé de milliers de couloirs et de galeries, il ne possédait pas de façade. Sa beauté résidait dans l'enchevêtrement complexe de ses tunnels, dont chacun était gravé de dessins tellement fins qu'il était impossible de les voir à l'œil nu. Seuls les gnomes pouvaient les contempler, ou ceux qui avaient du sang gnome comme Aïnako.

Elle aurait aimé pouvoir s'arrêter et fermer les yeux le temps d'en arpenter mentalement les sinuosités. L'immensité du palais lui donnait le vertige. Elle n'avait jamais rien vu d'aussi impressionnant.

Chaque gravure était tellement réaliste qu'elle semblait sur le point de s'animer. Des scènes de guerre et de fête s'étalaient sur des murs entiers. Des épopées et des contes millénaires étaient racontés de cavité en cavité. Des rois et des reines morts depuis longtemps semblaient être ressuscités.

Mais la demi-douzaine de gardes qui avançaient devant elle et l'autre demi-douzaine qui fermaient la marche n'auraient probablement pas apprécié qu'elle leur impose une halte pour s'extasier devant la délicatesse d'œuvres d'art invisibles. Même s'ils s'étaient tous enveloppés d'un écran lumineux, aucun elfe n'aimait rester immobile dans un couloir sombre et étroit. Le mouvement tenait la claustrophobie à distance.

— Je me demande comment font les gnomes pour ne pas se perdre, chuchota Naïké à sa droite. Ils pourraient mettre des panneaux indicateurs, comme les humains.

Des flammèches fuchsia léchaient la roche au rythme de sa démarche sautillante.

— Ils se dirigent avec leurs pieds, répondit Aïnako. Ils savent toujours où ils se trouvent dans le royaume et probablement dans le monde. J'aimerais bien avoir ce talent.

— Au moins, tu arrives à voir à plus de deux pas devant toi, murmura Éléssan à sa gauche.

Un voile doré ondoyait sur sa peau, éclairant le mur à côté de lui, mais pas beaucoup plus.

— C'était à toi de ne pas insister pour m'accompagner, rétorqua-t-elle. Tu aurais pu rester à l'extérieur avec tes soldats pour protéger Shamguèn.

Elle savait sa réplique un peu sèche, mais elle ne leur avait pas encore pardonné d'avoir levé leur épée sur Kaï. Elle comprenait qu'ils avaient agi pour le mieux, mais elle n'arrivait pas à s'enlever de la tête l'image de son amie menottée. Les elfes sauvages étaient maintenant enfermés dans l'une des nombreuses prisons d'Okmern. Les rois gnomes avaient toujours été friands d'ordre et de répression, ce qui avait donné lieu, au fil des siècles, à l'excavation de plusieurs dizaines de complexes carcéraux.

— Vous croyez que c'est quoi, la surprise de Varénia? demanda-t-elle pour dissiper le malaise qui s'était installé.

Ce n'était quand même pas eux qui avaient décidé d'incarcérer Kaï. Éléssan avait beau être le commandant, il n'aurait pas pu décider à lui seul de libérer les prisonniers. Il aurait fallu en débattre avec le conseil au complet et, pendant ce temps, les elfes sauvages n'auraient pas été plus libres. En se rangeant du côté des autres soldats, ils évitaient de subir eux-mêmes un procès qui les aurait empêchés de participer aux recherches et de découvrir les véritables poseurs de bombes.

Naïké émit une exclamation ironique. Elle n'aimait pas beaucoup Varénia et, le moins qu'on pût dire, c'était que l'aversion était réciproque.

— Sûrement quelque chose pour nous faire voir encore une fois à quel point les gnomes sont plus évolués que les elfes !

Aïnako sourit.

— C'est vrai que son complexe de supériorité est assez développé, mais, cette fois, je doute qu'elle nous vante les mérites infinis de son peuple. Elle a dit que ça révolutionnerait complètement mes croyances en matière de bien et de mal.

Elle roula les yeux en parlant. Ce n'était peut-être pas les mots exacts de Varénia, mais Aïnako la trouvait tellement présomptueuse qu'elle ne pouvait s'empêcher de se moquer.

Pendant qu'elle s'occupait du déménagement – ou plutôt qu'elle regardait Taïs s'occuper du déménagement – des conseillers et autres fonctionnaires de Shamguèn vers les quartiers d'Okmern réservés aux invités de marque, Varénia était venue la convier à ce qu'elle avait elle-même qualifié de surprise. Son ton avait été on ne peut plus sarcastique, mais une étrange lueur avait étincelé dans ses yeux. Avant de partir, elle lui avait conseillé d'emmener ses amis avec elle.

— Tu en auras besoin, avait-elle dit.

Éléssan et Naïké se trouvant justement là, elle n'avait eu d'autre choix que d'accepter leur compagnie.

De toute façon, elle devait bien s'avouer qu'elle était contente d'être avec eux. Les soldats de sa garde n'étaient pas des plus chaleureux. Elle avait essayé de se soustraire à l'escorte complète, mais Iriel ne lui avait guère laissé de choix. Il marchait en ce moment à la tête du cortège, juste derrière Varénia et ses propres gardes.

La reine gnome s'arrêta et tous les soldats s'alignèrent le long du couloir. Elle passa sa main sur le mur et une porte s'ouvrit là où la roche ne formait auparavant qu'un seul bloc. Elle se retourna pour adresser un sourire à Aïnako.

— Bienvenue dans l'antre de Valrek.

La pièce était magnifique. Des milliers de pierres précieuses étaient enchâssées dans les murs de pierre sombre. Le plafond était couvert de gravures d'iules aux yeux de saphir et aux pattes de grenat. Des piles de coussins brodés s'entassaient sur le sol entre des tables basses sur lesquelles reposaient des carafes de cristal remplies d'un liquide trouble et des bols de jade débordants de beignets aux champignons et de racines caramélisées.

L'estomac d'Aïnako se mit à gargouiller. Elle n'avait pas dormi de la nuit et n'avait rien avalé depuis au moins vingt-quatre heures, à part quelques lampées de potion énergisante.

— Je te préviens, dit Varénia qui était revenue à tu et à toi maintenant que Taïs était loin, si tu manges, tu le regretteras.

Elle s'assit gracieusement sur un oreiller cousu de fils d'or et de bronze. Elle avait revêtu une longue tunique noire fendue sur les côtés jusqu'aux hanches par-dessus un pantalon ample qui recouvrait presque entièrement ses escarpins de cuir ouvragé. Comme d'habitude, sa longue tresse était enroulée autour de son cou.

Karask, le chef de sa garde, se campa derrière elle. Le tatouage noir qu'il portait sur la jugulaire gauche à l'instar de tous les soldats d'Okmern faisait maintenant le tour de son crâne, symbole de sa nouvelle fonction. Il resta debout, mais sa posture était détendue. Il ne s'attendait pas à se faire attaquer là. Omkia s'installa par terre à quelques coussins de sa reine et posa ses mains nues sur le plancher. C'était les deux seuls gardes qu'elle avait invités.

Aïnako, quant à elle, n'était accompagnée que d'Éléssan et de Naïké qui se postèrent chacun d'un côté de la pièce. Depuis qu'elle était devenue la seconde reine de Shamguèn, c'était la première fois qu'Iriel acceptait de la quitter des yeux. Il ne faisait confiance à personne. « À personne à part son plus vieil et seul ami », songea-t-elle en se remémorant la vision qu'elle avait eue après l'incendie du palais de Lilibé, celle où Éléssan avait empêché Iriel de tuer son père à coups de poing.

— À quoi servent tous ces plats, si on ne peut rien manger ? demanda-t-elle en prenant place à côté de Varénia.

Elle repoussa ses longs cheveux raides qui tombaient sans cesse devant ses yeux. Elle portait une espèce de kimono constitué d'une multitude de couches de tissus verts et bleus satinés qui lui enserraient un peu trop les jambes à son goût. C'était Taïs qui l'obligeait à se vêtir ainsi quand elles étaient en visite dans un autre royaume. Aïnako envia la tenue de son interlocutrice tandis qu'elle cherchait une position à la fois digne et confortable.

— C'est la tradition, répondit la gnome en plissant son joli nez. Même si je ne mange rien, les plats continuent d'affluer. C'est mon cher frère qui a instauré cette coutume.

Elle désigna l'immense baie vitrée qui s'ouvrait devant elles. Aucune lumière n'éclairait l'autre côté et la vitre sombre faisait office de miroir.

— Il voulait que ceux qui étaient jugés le voient en train de se délecter de leur sort.

— Ceux qui étaient jugés ? Ta surprise, c'est un procès ?

— Un jugement.

— C'est quoi, la différence ?

Varénia eut un rire sans joie.

— Tu verras bien.

Elle fit un geste du menton en direction de la vitre. Deux petites lueurs se mirent à clignoter au loin. Elles se multiplièrent en se rapprochant et des silhouettes se précisèrent. Il y avait des femmes, des hommes et des enfants. Quelques-uns avaient le crâne rasé comme les soldats, mais la plupart arboraient une abondante chevelure noire dans laquelle papillotaient des centaines de petites pierres multicolores. Aucun son ne traversait l'épaisse baie vitrée, mais on voyait que ça riait et que ça jacassait.

— On dirait qu'ils s'en vont à un bal, commenta Aïnako.

Varénia reluqua la foule qui s'installait dans

des gradins de métal placés en fer à cheval autour de leur loge.

— Des imbéciles ! dit-elle avec une grimace méprisante.

Quand un gnome vêtu d'une longue toge noire fit son entrée, les spectateurs se turent pour le regarder s'avancer au centre de l'arène. Aïnako vit les yeux de Varénia s'étrécir.

— C'est le juge ? devina-t-elle.

Les lèvres pâles de la gnome se retroussèrent comme si des dents de vampire allaient lui sortir des gencives.

— Ce n'est qu'un vaurien. C'est un criminel au moins cent fois pire que ceux qu'il se permet de juger.

— J'en déduis qu'il fait partie du groupe qui est resté fidèle à ton frère et que tu aimerais pouvoir renvoyer.

Varénia la fixa dans les yeux.

— Si seulement j'arrivais à mettre au pas la moitié des conseillers, dit-elle d'une voix vibrante de colère ou d'espoir, je pourrais enfin m'approprier le véritable pouvoir d'Okmern et j'en profiterais pour purger mon royaume de ses éléments les moins désirables.

Son regard était presque agressif. Aïnako se mit à triturer un des fils d'argent qui dépassaient de son coussin.

— Tu espères que ce jugement m'incitera

à engager l'armée de Shamguèn dans un nouveau conflit, c'est ça?

— Une petite partie de l'armée suffira. Tout ce que je veux, c'est renverser les conseillers qui continuent d'idolâtrer mon frère.

— Les tuer, tu veux dire. Ce que tu veux, c'est tuer les conseillers qui ne pensent pas comme toi.

— J'espère que nous n'en arriverons pas là, mais je suis prête à toute éventualité.

Aïnako avala sa salive. L'expression de Varénia ne lui plaisait pas. Elles avaient toutes les deux les yeux gris, mais ceux de la gnome étaient pâles et froids, tandis que ceux d'Aïnako évoquaient la couleur du ciel juste avant l'orage. Pareils à ceux de son père, ils étaient chargés de la même force latente.

De l'autre côté de la vitre, le juge s'était immobilisé devant leur loge. De minces lignes noires étaient tatouées sur ses joues. Elles se rejoignaient sur l'arête proéminente de son nez et continuaient au-dessus de ses sourcils et dans son cou. Une couronne faite de fils métalliques entrelacés enserrait sa tête chauve.

Aïnako eut un mouvement de recul.

— C'est... Est-ce que c'est de vrais barbelés?

Varénia fit la grimace.

— Il dit que ça l'aide à garder les idées claires.

Le juge s'inclina devant elles en écartant les bras. Le sommet de son front toucha presque les plaques d'acier qui masquaient le sol. Des rubis apparaissaient çà et là entre les fils barbelés. La lueur rouge qui en émanait se mêlait aux billes de sang qui perlaient tout le tour de son crâne blême, là où les épines s'enfonçaient dans sa peau. Des gouttes ruisselèrent sur ses tempes en semblant suivre le tracé hachuré de ses tatouages.

Aïnako frissonna. Elle pouvait voir ses blessures qui se refermaient d'elles-mêmes quand les aiguilles se déplaçaient, mais le métal ne faisait que déchirer une autre portion de chair qui se mettait à son tour à saigner.

Le juge se redressa et ses yeux s'attardèrent un instant sur elle. Il sourit. Il n'y avait rien d'amical dans ce sourire. Aïnako frissonna encore.

Chacun d'un côté de la pièce, Éléssan et Naïké étaient immobiles et tendus. Comme ils étaient aveugles au rayonnement des rubis du juge, il leur était impossible de le voir, mais elle aurait juré qu'ils avaient les yeux rivés sur lui.

La main de Naïké était refermée sur la poignée de son arme. Les rubis qui en parsemaient la garde brillaient d'un vif éclat rose bonbon. Seul le chatoiement naturel de la topaze enveloppait l'épée d'Éléssan, mais un filet de lumière dorée dansait entre ses doigts, remontant en volutes le long de ses bras pour s'évaporer à la hauteur de ses coudes.

Aïnako se rendit compte que, ce qu'ils fixaient avec tant d'attention, c'était sa réflexion sur la vitre noire. Ils jaugeaient le danger d'après l'expression de son visage.

En examinant son reflet, elle s'aperçut qu'elle avait une mine terrifiée. Elle se trouva ridicule et se força à se détendre. Quel danger pouvait-il y avoir ? Ce juge était inquiétant, mais c'était quand même un représentant de la justice. Il n'allait pas l'attaquer devant tout le monde juste pour venger son roi déchu.

Après de longues minutes, il se retourna pour leur présenter son dos.

Deux files de gnomes au crâne lisse pénétrèrent dans l'arène en longeant le muret qui précédait les gradins. Ils avançaient lentement, en ne faisant que des demi-pas. Leurs chevilles étaient attachées à une longue chaîne qui les raccordait les uns aux autres. Une deuxième chaîne entourait leur torse nu en leur menottant les poignets derrière le dos et une troisième les liait par le cou où un épais cercle de métal les forçait à garder le menton levé pour bien montrer le nombre qu'ils portaient tatoué sous la lèvre inférieure et qui correspondait à leur numéro de cellule.

— Il n’y a que des hommes, remarqua Aïnako.

— C’est un des rares avantages de vivre dans une société aussi misogyne, répliqua Varénia. Les prisonnières ne sont pas assez dignes pour assister aux jugements. Mais les prisonniers que tu vois ne représentent qu’une fraction de la population carcérale d’Okmern. Les autres n’ont plus la force de se tenir debout. La plupart n’arrivent même pas à ouvrir la bouche pour manger et ils finissent par mourir de faim.

Aïnako la dévisagea. Parlait-elle sérieusement? Son visage de porcelaine était lisse et sans expression, mais ses yeux plissés s’agrandirent subitement et sa respiration s’accéléra. Derrière la vitre, tous les détenus regardaient droit devant eux. Tous sauf un, qui avait tourné la tête vers elles.

Aïnako frémit.

— Qu’est-ce qu’il y a? demanda Naïké, prête à sauter à travers la baie vitrée.

— C’est… ça ne peut pas être…

— Valrek.

C’était la voix d’Omkia, douce, presque un murmure. Ses yeux étaient braqués sur l’ancien roi d’Okmern, mais ce n’était pas de la haine qui les faisait briller, c’était un sentiment qui ressemblait à de la tristesse.

— Mais… reprit Aïnako. Ses tatouages…

Le Valrek qu'elle avait connu était tatoué de la tête aux pieds. Celui qui se trouvait de l'autre côté de la vitre avait la peau aussi blanche que celle des autres prisonniers.

— On les lui a retirés avant de l'envoyer en prison, expliqua le maître sculpteur. On arrache un morceau de peau, jusqu'au muscle, juste assez pour que le corps puisse guérir tout seul, puis on en arrache un autre. Pour Valrek, ça a pris une journée entière.

Son expression n'avait pas changé. Il n'avait pas élevé la voix et il continuait à suivre Valrek des yeux tandis que les deux files de prisonniers avançaient chacune de leur côté. Quand elles s'arrêtèrent et que les gnomes enchaînés pivotèrent pour faire face au juge, un grondement sourd fit trembler leur loge.

Une trappe s'ouvrit au centre de l'arène et une cage jaillit du sol. Entre les barreaux s'entassaient six gnomes dont les seuls vêtements étaient les câbles de fer qui les ligotaient. Le carcan qui leur serrait le cou était attaché au grillage supérieur. « C'est probablement la seule chose qui les tient debout », se dit Aïnako en observant leur corps amaigri.

— Qu'est-ce qu'ils ont fait pour mériter un traitement aussi barbare ? demanda-t-elle.

— C'est Valrek qui les a fait arrêter, répondit

Varénia. Deux pour vol, deux pour avoir parlé contre son règne et deux pour… deux qui faisaient partie de notre groupe. J'ai essayé de les faire libérer, mais ils ont été incarcérés avant la chute de mon frère. Le conseil n'est pas tenu d'infirmer les décisions prises sous un ancien régime.

Sa voix s'était légèrement altérée, mais ses yeux étaient restés durs.

Dans l'arène, le juge s'était approché de la cage. La tête haute et le visage grave, il se pensait manifestement investi d'une quelconque mission ou d'un pouvoir divin qui le rendait supérieur à tout le monde. Il se planta devant un prisonnier et leva un doigt osseux vers lui. Il commença à parler. Le verre bloquait ses paroles, mais ses narines dilatées et ses yeux exorbités ne laissaient planer aucun doute sur la nature de sa diatribe. Des postillons blancs fusaient de sa bouche tordue, mais le prisonnier ne broncha pas.

Le juge finit par se taire, mais son index demeura tendu comme s'il espérait y déverser un peu plus de sa haine. Il passa au suivant et releva le doigt dans un geste encore plus accusateur. Il recommença à postillonner en récitant ce qui devait être la liste de tous les méfaits pour lesquels ce pauvre gnome serait jugé.

Quand il eut fait le tour des six prisonniers, il s'éloigna et empoigna le capuchon de sa toge pour le rabattre sur sa tête. Les pics des barbelés pointèrent à travers le tissu noir. Il croisa les bras sur sa poitrine en rentrant ses mains dans les manches opposées. Dans les gradins, la foule l'imita.

— Qu'est-ce que… commença Aïnako avant de se faire interrompre par une vague de lumière comme elle n'en avait jamais vu.

Elle se leva d'un bond. Éléssan et Naïké s'étaient jetés devant elle pour la protéger, mais ils s'arrêtèrent en voyant que personne ne les attaquait.

Cette vague de lumière, c'était le soleil, cru et aveuglant, concentré en une seule colonne au-dessus des six prisonniers.

Aïnako sentit l'air se glacer dans ses poumons.

La même expression de souffrance déformait les traits des prisonniers. De violents soubresauts agitaient leurs épaules et cambraient leur dos, alors que l'instinct les poussait à tirer sur leurs chaînes.

Aucun maillon ne céda.

Leur peau trop blanche se boursoufla en virant au rose, puis au violet.

Les cloques qui s'étaient formées sur leur crâne furent les premières à se rompre, répandant un mélange de sang et de lymphe le long de leur cou où d'autres cloques se fendaient les unes après les autres. On aurait dit que leur chair s'était mise à bouillir et à fondre. Ils n'eurent bientôt plus de visage. Des taches blanches apparurent et Aïnako réalisa que c'était des os.

Elle aurait voulu détourner le regard, mais elle n'y arrivait pas.

Un premier gnome cessa de bouger. Ce qui restait de son corps se mit à pendre au bout du collier de métal qui soutenait encore son crâne noirci. Les cinq autres ne tardèrent pas à finir de la même façon.

Ce ne fut que lorsqu'ils furent tous immobiles qu'elle retrouva l'usage de ses jambes. Elle fit un pas en arrière, trébucha sur un coussin et tomba. Son coccyx heurta la roche, mais elle le sentit à peine. Devant elle, ses amis n'avaient pas bougé, l'épée toujours levée, les ailes toujours à moitié déroulées.

Dans l'arène, la colonne de soleil rétrécit et s'éteignit. Le juge retira son capuchon, les spectateurs aussi, et leurs bijoux multicolores se remirent à scintiller.

Aïnako remarqua les autres prisonniers, ceux qui étaient alignés le long des gradins. Elle les avait complètement oubliés.

Leur peau enflée était sillonnée de fissures

rouges qui commençaient à s'effacer. Le soleil n'avait peut-être pas été dirigé sur eux, mais sa lumière indirecte avait suffi à les brûler. Ils n'étaient pas là pour être jugés, mais pour subir eux aussi une partie du supplice.

Aïnako ramena son regard sur les six amas d'os fumants ; c'était plus fort qu'elle.

Elle se rendit compte qu'elle tremblait.

# 18

## L'ÉTOFFE D'UNE REINE

— Elle n'aurait jamais dû te montrer ça ! s'indigna Naïké qui voletait autour d'elle.

Aïnako marchait d'un pas pesant, ne se sentant pas du tout le cœur à voler.

— Elle aurait surtout dû nous en parler avant, dit Éléssan. On aurait pu t'empêcher d'y aller.

Il marchait à côté d'elle, une main sur son épaule pour la réconforter ou s'assurer qu'elle ne se sauve pas en courant.

Elle avait plutôt envie de se rouler en boule en serrant si fort les paupières que cela ferait disparaître l'image des prisonniers carbonisés. Mais elle avançait sans s'arrêter, pareille à une automate. Elle avait traversé les souterrains d'Okmern sans s'en rendre compte. Elle n'avait même pas eu conscience que, sur un commandement d'Éléssan, Iriel et ses autres gardes ne l'avaient pas suivie quand elle était sortie de terre pour émerger dans la forêt qui foisonnait au-dessus d'Okmern.

L'après-midi était nuageux et l'air frais lui faisait du bien. Les paroles d'Éléssan finirent par trouver le chemin de son cerveau. Elle s'arrêta.

— Au contraire ! Je suis contente qu'elle me l'ait montré.

Cet horrible spectacle la hanterait longtemps, probablement toute sa vie, mais elle ne regrettait pas de ne pas avoir fermé les yeux. Elle avait l'impression qu'elle le devait à ces six gnomes, qu'elle leur devait de se souvenir de leur mort jusqu'à la fin de ses jours.

— Je suis fatiguée que tout le monde me protège, ajouta-t-elle en avisant les mines bienveillantes et un peu sceptiques de ses amis.

Elle se remit en route et marcha sur le bas de son kimono déjà bruni par la terre boueuse du printemps.

— Au moins, continua-t-elle en tirant sur les multiples couches de tissu d'un geste irrité, maintenant je sais pourquoi elle est prête à tout pour renverser son gouvernement.

Naïké faisait des arabesques frénétiques au-dessus d'eux.

— Mais c'est de la manipulation pure et simple ! s'indigna-t-elle encore une fois.

Aïnako se frotta les tempes. Des crânes

blancs se consumaient en permanence dans son esprit. Des bouches s'ouvraient sur un cri silencieux. Des membres fondaient, noircissaient et s'effondraient.

— Peut-être, admit-elle, mais je ne peux quand même pas continuer à vivre normalement tout en sachant que je peux mettre un terme à… à… à ça.

Elle était incapable de nommer ce qu'elle avait vu autrement que par « ça ». Elle avait vu des dizaines d'elfes et de gnomes mourir sur les champs de bataille, mais il lui semblait que ces exécutions étaient pires que tout.

Cette fois, ce fut Éléssan qui s'arrêta. Il lui prit une main pour qu'elle s'arrête aussi.

— Tu as donc l'intention d'aider Varénia dans sa rébellion ?

Aïnako hésita. Les yeux verts de son ami étaient impénétrables et elle n'arrivait pas à deviner s'il approuvait ou désapprouvait cette idée. Elle soupira.

— Je ne sais pas. Mais il faut absolument stopper ces jugements. C'était… C'était…

Elle se frotta encore les tempes et passa le dos de ses jointures sur ses yeux boursouflés. Elle ne savait même pas ce qu'elle avait voulu dire. C'était atroce ? C'était insupportable ? C'était monstrueux ? Ces mots étaient beaucoup trop faibles.

— Je ne peux pas ne rien faire, reprit-elle.

Éléssan sourit. Autour d'eux, Naïké voltigeait de plus en plus vite.

— Arrête ! s'exclama Aïnako. Tu m'étourdis.

Naïké s'immobilisa, mais elle continua à voler sur place, l'air de se demander si c'était bien à elle qu'elle s'adressait. Elle finit par se laisser descendre au sol, droite comme un piquet et les poings sur les hanches.

— Tu sais que c'est exactement là-dessus qu'elle compte ? dit-elle.

— Tu pourrais ne rien faire, toi ?

— Elle compte sur le fait que tu es jeune et pas encore blasée comme la plupart des reines, poursuivit Naïké sans répondre à la question. Elle voulait que tu sois tellement bouleversée que tu ordonnes aussitôt à Éléssan d'aller tuer tous ses conseillers.

— Varénia n'est pas aussi naïve, rétorqua Éléssan. Elle sait bien que j'obéis au conseil de Shamguèn, pas seulement à Aïnako.

Naïké le considéra en haussant les sourcils.

— Varénia n'est pas aussi naïve, hein ? Depuis quand la connais-tu aussi bien ?

Il sourit, mi-moqueur, mi-découragé.

— Je ne la connais pas plus que toi, Naïké, mais il me paraît assez improbable qu'elle s'attende à ce que j'envoie illico mes soldats tuer quelques dizaines de gnomes.

— Venant d'elle, rien ne m'étonnerait. Elle n'hésiterait pas à égorger dans leur sommeil tous ceux qui s'opposent à elle si elle n'avait pas peur qu'on l'égorge à son tour. Elle veut que la victoire soit assurée; c'est pour ça qu'elle attend d'avoir le soutien de Shamguèn et qu'elle a attendu d'avoir celui d'Élimbrel pour affronter son pervers de frère.

— Elle veut seulement s'assurer que les gens d'Okmern souffrent le moins possible, dit Aïnako. C'est ça, le travail d'une reine, non?

Naïké écarquilla les yeux comme si elle venait de dire la pire des insanités.

— Et, pour sauver son peuple, elle te demande de sacrifier le tien? Toute une reine!

— Je ne sacrifierais pas le peuple de Shamguèn en envoyant quelques soldats l'aider à reprendre le contrôle de son gouvernement.

Éléssan secoua la tête.

— Les choses ne sont jamais aussi simples, Aïnako.

Il avait ce sourire compatissant qui l'énervait. Même Naïké avait un air indulgent.

— Varénia compte sur ton idéalisme, dit-elle. Tu es incapable de laisser souffrir qui que ce soit et elle le sait.

Aïnako enfouit ses doigts dans ses cheveux et commença à arracher ceux qui poussaient à la base de sa nuque.

Naïké avait raison. Elle avait été naïve, comme d'habitude. Et c'était exactement pour ça que Varénia l'avait approchée, elle, et non Taïs. Sa grand-mère n'était pas une sans-cœur, elle plaindrait les morts et les suppliciés, elle trouverait aberrant que Varénia n'ait pas le pouvoir de les libérer, mais elle n'enverrait jamais personne pour l'aider dans sa rébellion.

C'était pareil avec les elfes sauvages. Tout le monde les croyait responsables des explosions, même celle de Shamguèn, et Taïs n'allait pas perdre son temps à les contredire.

— Si vous voyez un autre moyen de faire cesser ces exécutions, soupira-t-elle, j'aimerais bien l'entendre.

Ses amis restèrent silencieux. Aïnako releva le bas de son kimono et se remit en route.

La délégation d'Élimbrel repartait le soir même et elle avait donné rendez-vous à Olian dans un arbre tout près de Shamguèn.

Elle l'avait accroché alors qu'il revenait des cachots d'Okmern où Kaï et les siens avaient été enfermés. Certaine qu'il allait l'accuser d'avoir laissé tomber leur amie, elle s'était empressée de lui expliquer que les elfes sauvages étaient mieux en prison qu'en liberté, qu'ils prouveraient ainsi leur bonne foi et qu'on réussirait peut-être à démontrer leur innocence, mais il n'avait pas réagi. Il l'avait juste écoutée en silence et elle avait eu l'impression d'essayer de se convaincre elle-même. Il avait néanmoins accepté de la rencontrer avant de reprendre la route vers Élimbrel, mais aucun sourire n'était venu éclairer ses traits.

En arrivant sous les feuilles du chêne où elle espérait qu'il vienne la retrouver, elle s'envola sans un mot pour ses amis qui, comme convenu, allèrent se poster dans les branches environnantes pour leur laisser un peu d'intimité tout en assurant sa protection.

L'arbre était vide. Pas un seul oiseau n'y chantait. Elle remarqua que des bourgeons commençaient à sortir. Sa gorge se serra. Et si Olian décidait de ne pas venir ? Et s'il décidait qu'elle n'en valait pas la peine ?

Un bruissement se fit entendre derrière elle. Elle se retourna. Olian était de l'autre côté du tronc, ses ailes marron encore ouvertes. Elle se demanda si elle devait aller le rejoindre. Pourquoi ne s'était-il pas posé directement à côté d'elle ?

— Je sais que je ressemble à un pigeon, accoutrée comme ça, dit-elle en se forçant à rire, mais je ne vais pas te picorer les tresses, promis !

Olian ne sourit pas, mais il traversa le lacis de branches pour venir la retrouver.

— Tu ressembles à un colibri. C'est joli.

Elle aurait dû se réjouir du compliment, mais quelque chose dans les yeux de son ami l'en empêcha.

— Kaï sortira bientôt de prison, dit-elle. Je retourne chez les humains dès demain pour trouver des informations sur la bombe. Ça devrait nous donner une piste pour découvrir les vrais coupables.

— J'espère que ça t'aidera aussi à découvrir ce que tu veux.

— Quoi ?

Elle s'était attendue à tout sauf cette réponse.

— Au revoir, Aïnako. J'espère sincèrement que tu trouveras.

Elle aurait voulu le retenir, ou au moins lui demander quand ils se reverraient, mais elle le regarda s'envoler sans dire un mot.

Elle resta longtemps sans bouger après le départ d'Olian. Des images de chair fondue et d'os carbonisés continuaient à se graver en surimpression sur ses rétines. Elle avait envie de pleurer, mais aucune larme ne coulait. Elle finit par déployer ses ailes d'un coup sec tout en pliant les genoux pour se donner un élan.

Une voix l'arrêta.

— C'est un idiot.

Elle fit volte-face et se retrouva devant Païlia. Éléssan était déjà à ses côtés, tandis que Naïké pointait son épée de rubis sur la gorge de la criminelle.

— Tes amis sont rapides, observa Païlia. Ce n'est pas comme cet autre imbécile qui m'a guidée jusqu'à toi. Il ne s'est jamais douté que j'étais derrière lui. Il faut dire que la filature était une de mes spécialités, quand j'étais soldate.

Elle semblait étonnamment saine d'esprit.

— Païlia, dit Aïnako, qu'est-ce que tu fais là ?

— Païlia ? fit Naïké. Celle qui a tué ton père ?

— C'est Taïs, la meurtrière, siffla l'autre en tournant la tête pour darder un regard noir sur la guerrière.

La lame rouge traça une estafilade le long de sa clavicule. Un filet de lumière aigue-marine vint l'effacer avant même que le sang ne se mette à couler. La lueur de folie était revenue dans ses yeux couleur de miel.

— Pourquoi suivais-tu mon neveu ? demanda Naïké dont l'épée n'avait pas bougé d'un poil.

Païlia se retourna vers Aïnako. Le rubis entama une nouvelle fois sa peau olive pâle sans qu'elle s'en soucie.

— Je voulais te revoir avant que tu partes chez les humains.

— Te revoir ? nota Éléssan. Vous vous étiez déjà vues ?

Ses yeux n'avaient pas quitté l'intruse, mais Aïnako comprit que c'était à elle qu'il s'adressait.

— Hier, répondit-elle. Dans la grotte de mon père. Je n'ai pas eu le temps de vous en parler.

La vérité, c'était qu'elle ne savait pas si elle leur en aurait parlé. Son père n'aurait pas voulu que celle qu'il avait aimée devienne l'ennemie publique numéro un. Ou numéro deux, après les poseurs de bombes.

— On est amies, maintenant, pas vrai ? dit Païlia avec un sourire candide qui lui fit penser à Lubaninon.

Naïké appuya un peu plus sur son arme.

— Tout ce que tu es, c'est recherchée pour meurtre.

Les traits de sa captive restèrent de marbre, mais des larmes s'accumulèrent le long de sa paupière inférieure.

— Tu leur as dit que c'était un accident, non ? Si Taïs n'avait pas existé, ça ne serait jamais arrivé. C'est elle… c'est elle qui l'a tué !

— Tu crois vraiment que c'est Taïs qui a tué Fælkor ? demanda Éléssan.

Il n'y avait aucune moquerie dans sa voix. Païlia s'essuya les yeux.

— Je n'ai pas posé les bombes, si c'est le sens de ta question. Fælkor n'aurait pas voulu que je le venge.

Elle regarda Aïnako et son visage redevint grave.

— Tu lui ressembles, reprit-elle d'une voix monocorde. J'aurais préféré que tu ne lui ressembles pas. La haine serait plus facile à gérer. Je croyais que je n'éprouverais plus d'affection pour personne jusqu'à ce que je te voie. Maintenant, si tu meurs, je serai triste. Tu devrais rester chez les humains le temps que les terroristes soient appréhendés. C'est pour ça que je voulais te voir avant ton départ.

— Pour me demander de fuir ?

Païlia éclata de rire en rejetant ses cheveux sales dans son dos, ce qui fit sursauter même Naïké.

— Tu veux que je t'égorge par mégarde, ou quoi ?

La captive lui décerna un sourire sibyllin.

— Tu es beaucoup trop adroite pour ça. Tu l'es presque autant que moi, avant que la mort de Fælkor me détraque.

Elle se recomposa un air austère et se remit à fixer Aïnako.

— Ton père voudrait que tu sois en sécurité. Si tu meurs, il sera définitivement mort. Tu lui dois de rester en vie.

Ses pupilles dilatées dévièrent vers Éléssan, puis vers Naïké, rendant le blanc de ses yeux trop apparent.

— Je sais que vous ferez ce qu'il faut pour la garder en vie.

Elle se donna un élan vers l'arrière et ouvrit les ailes. Naïké bougea avec elle.

— N'y pense même pas, dit-elle en l'attrapant par la mâchoire pour la ramener sur la branche qu'elle avait à peine quittée. Je te rappelle que tu es une criminelle recherchée.

— Mourir étranglée, murmura Païlia. Le manque d'air doit être affolant. Ce dont je rêve, c'est de mourir incinérée sous les rayons du soleil comme une gnome. Le supplice doit être tel qu'on oublie le reste.

Sa voix était étouffée à cause des doigts de Naïké qui ne relâcha pas sa prise pour autant.

La respiration d'Aïnako s'était faite saccadée. Être brûlée vive ? Aucune mort ne pouvait être plus atroce.

— Laisse-la partir, dit-elle à son amie. Elle ne voulait pas tuer mon père. Elle ne mérite pas de croupir en prison.

Naïké jeta un rapide coup d'œil à Éléssan.

— Si Aïnako lui a pardonné, dit-il après un silence, qui sommes-nous pour la juger ?

Naïké desserra les doigts, mais Païlia ne s'enfuit pas tout de suite.

— Fælkor aussi aurait refusé de me faire enfermer. Il a toujours été plus honorable que sa mère. Ça se voit tout de suite que tu as l'étoffe d'une reine.

Ses yeux étaient cloués à ceux d'Aïnako.

— Ne le déçois pas, ajouta-t-elle en se laissant tomber par en arrière.

Ses pieds glissèrent de la branche et elle plana un moment sur le dos avant de remonter en flèche pour disparaître dans le ciel bleu.

# 19

## MACARONI AU FROMAGE ET VISION EN DIRECT

La jeune fille dans le miroir lui sourit. C'était un sourire factice. Ses yeux gris restaient mélancoliques. Elle avait l'air malade, avec sa peau blafarde.

Elle caressa ses longs cheveux bruns.

— Novembre, murmura-t-elle.

Elle avait eu tellement de mal à s'habituer à son nom d'elfe ! Maintenant, c'était son nom d'humaine qui lui semblait étrange.

Des pages de notes écrites à la main recouvraient le bureau où elle était assise. Des mots bizarres tels que plastic, Semtex et C-4 étaient surlignés en jaune fluo au-dessus de formules chimiques auxquelles elle ne comprenait rien. Les cours de science n'avaient jamais été ses préférés. Devant elle, l'écran d'ordinateur faisait défiler des photos d'elle-même avec sa famille et ses amis. Elle les regarda quelques minutes et soupira.

Elle s'étira, déplia ses longues jambes et se leva. La sensation du jean sur sa peau était rugueuse. Chloé remarquerait-elle que les vêtements qu'elles avaient achetés ensemble pendant les soldes du Boxing Day étaient encore neufs ?

Elle marcha jusqu'à la fenêtre et observa le soleil qui touchait maintenant la cime des arbres. La forêt paraissait minuscule, même si elle s'étendait partout. Tout semblait minuscule.

Un bruit de moteur se fit entendre. Une voiture couinait et toussait en remontant la route de terre qui menait à la maison de sa tante.

Novembre sourit. Cette fois, tout son visage s'alluma.

Elle dévala l'escalier et ouvrit la porte d'entrée au moment où la voiture s'immobilisait devant le perron de bois branlant. La portière du côté passager s'ouvrit à la volée et une adolescente au visage rond encadré de courtes mèches noires descendit. Novembre se jeta sur elle pour la serrer dans ses bras.

— Chloé ! Tu ne peux pas savoir comme je suis contente de te voir !

— Ton école européenne est aussi horrible que ça ?

— Disons que je ne m'y sens pas trop à ma place.

— Qu'est-ce que t'attends pour revenir, alors ? Je m'ennuie de ma coloc, moi !

— Pas moi ! fit une voix masculine de l'autre côté de la voiture. Ça fait une personne de moins pour vider les boîtes de biscuits.

Zac faisait de gros efforts pour paraître ennuyé. Novembre sourit en levant les yeux au ciel.

— Ton frère n'a rien perdu de son charme, à ce que je vois, dit-elle à sa meilleure amie. Toi aussi, tu m'as manqué, Zac.

— Chloé m'a dit que tu avais besoin de mon aide pour un devoir de chimie.

Novembre grimaça. Elle n'avait plus envie de penser aux bombes ni à quoi que ce soit qui avait un rapport avec sa nouvelle vie. Pour l'instant, tout ce qu'elle voulait, c'était rire avec ses amis.

— Après le repas, dit-elle avec un geste de la main pour chasser ce sujet de ses pensées.

— Entrez, fit tatie Vivi du haut du perron. Qu'est-ce que vous attendez ? Je veux bien croire que ça sent le printemps, mais il y a encore de la neige, dehors.

Éléssan et Naïké, qui étaient sortis de la maison avec elle, saluèrent chaleureusement Zac et Chloé. Ils étaient redevenus Loup et Nina.

Quand ils pénétrèrent dans la cuisine, tatie Vivi alla remuer le contenu d'une grande casserole. Sur le comptoir, une demi-douzaine de petites boîtes de carton vides étaient empilées les unes sur les autres, prêtes pour le recyclage.

— Pouvez-vous croire que, de tous les plats que j'aurais pu lui cuisiner, c'est du macaroni au fromage synthétique qu'elle voulait ?

— Ça me rappelle des souvenirs, se justifia Novembre en rougissant.

Tatie Vivi ne préparait jamais ce genre de repas instantané, mais les parents de Chloé n'étaient pas aussi regardants. C'était toujours ce que les deux filles mangeaient quand elles étaient seules avec Zac.

Nina monopolisa la conversation pendant tout le repas. Le mensonge lui venait avec un naturel déconcertant. Loup racontait une profusion d'anecdotes fictives sur ses amis fictifs de l'université. Seule Novembre avait du mal à se glisser dans la peau de son personnage. Elle avait répété son histoire des milliers de fois alors qu'ils voyageaient à dos de renard ou de corbeau vers la maison perdue au fond des bois où elle avait passé son enfance, mais elle ne cessait d'oublier des détails que ses faux cousins étaient obligés de lui rappeler. Elle avait l'impression de passer un examen oral.

Ce ne fut que lorsque tatie Vivi sortit le

pouding au chocolat que la discussion dévia enfin sur ce que Novembre adorait : les souvenirs qu'elle partageait avec Chloé et Zac. Ils évoquèrent à peu près tous les élèves de leur école secondaire et même primaire. Ils se rappelèrent la fois où Chloé avait mis des Corn Flakes dans les souliers de son frère, la fois où Novembre lui avait dessiné des moustaches de rouge à lèvres pendant qu'il dormait et la fois où il les avait poussées toutes les deux en pyjama dans la piscine.

Novembre riait tellement qu'elle en avait mal au ventre et aux joues. Chloé riait presque autant qu'elle et Zac était allé jusqu'à laisser tomber ses airs de philosophe pour partager leur hilarité. Nina profita de la bonne humeur du jeune homme pour lui demander s'il pratiquait encore le karaté. Le visage de Zac vira à l'écarlate. La dernière fois qu'il s'était vanté de ses talents, elle lui avait fait mordre la poussière à quatre reprises.

— Seulement comme patient, marmonna-t-il en engloutissant sa troisième part de pouding.

— Comme patient ? s'exclamèrent Novembre et Chloé en chœur.

Elles se regardèrent et éclatèrent de rire.

— Je voulais dire comme passe-temps, grogna Zac, de plus en plus rouge.

— Non, non! le contredit sa sœur. C'est parce que tu sais que tu te retrouveras à la clinique si tu affrontes encore Nina.

Elle continuait à rire, mais Novembre sentit sa poitrine se serrer. Cela lui rappelait la façon dont elle et Kaï étaient devenues amies. Olian avait fait un lapsus et elles avaient ri en même temps.

— Ça va? lui demanda Chloé.

Elle riait encore, mais ses yeux semblaient hésiter entre la joie et l'inquiétude.

Novembre sourit. Elle hocha la tête et s'apprêta à sortir une blague sur Zac-san le grand karatéka quand le pincement dans sa poitrine lui coupa le souffle. Elle voulut inspirer, mais ne réussit qu'à s'étrangler. Elle croisa le regard de Loup et glissa en bas de sa chaise.

Au moment où sa tête heurta les lattes de bois, elle eut conscience que d'autres pensées se superposaient aux siennes, des pensées désordonnées, mais toutes orientées vers un seul but: survivre.

Sa mère était en train de se noyer.

Cette constatation la ramena au présent et elle aspira une grande bouffée d'oxygène. Le visage de Loup fut le premier qu'elle vit. Il la fixait intensément, yeux dans les yeux. Elle entendit Chloé crier son nom et Nina dire à tout le monde de la laisser respirer. Elle se releva en s'appuyant sur ses coudes et la tête lui tourna. La cuisine fut à nouveau noyée sous l'eau. Des arbres gorgés de feuilles et de fleurs ondoyaient dans le courant.

À cheval entre ces deux réalités, elle porta la main à sa gorge pour arracher la minuscule larme de diamant qu'elle avait attachée à la chaîne d'argent qu'oncle Flo lui avait offerte pour ses onze ans, juste avant de mourir. Alors que ses doigts s'étaient déjà refermés dessus, elle aperçut un tronc à l'écorce acajou surmonté de pics de nacre et de bois calciné.

Sa main se pétrifia autour de son pendentif. Ce n'était pas un souvenir.

— Lilibé! murmura-t-elle en ramenant son attention sur les iris vert olive de Loup. Lilibé est submergée par l'eau.

Sa mère allait se noyer. Et tous les habitants de la cité royale. Le dôme de protection les retenait prisonniers. Leur seule voie de sortie était la porte d'entrée, qui était beaucoup trop loin pour qu'ils espèrent s'y rendre avant de perdre connaissance.

Elle s'abandonna à la vision le temps de découvrir ce qui se passait. Silmaëlle était entourée de ses gardes qui voulaient la forcer à les suivre. Elle résistait. Elle refusait de laisser mourir son peuple même si elle ne pouvait rien pour le sauver.

Un banc d'ondins passa devant elle. Le soulagement faillit lui faire oublier de retenir son souffle. Ses gardes la lâchèrent avec joie pour la remettre entre les mains de leurs sauveteurs.

Mais les ondins n'étaient pas là pour les sauver.

Un premier empoigna Silmaëlle par un bras et le lui tordit dans le dos. Un craquement résonna à l'intérieur de son corps. Le froid de la douleur fut à peine estompé par la chaleur de sa lumière. Affolée, elle tendit l'autre main devant elle. Une vague blanche en jaillit et repoussa l'eau qui se mit à tourbillonner. Elle recommença. À chaque jet lumineux, la température de l'eau augmentait ainsi que la pression dans ses poumons et la sensation de lourdeur dans sa tête. Le manque d'oxygène aurait bientôt raison d'elle.

Dans la cuisine, Novembre eut peur de se mettre elle aussi à lancer des éclairs blancs sur ses amis. Elle se força à se détacher de l'esprit de sa mère. Chloé hurlait qu'il fallait l'emmener à l'hôpital. Zac avait même sorti ses clés, prêt à aller démarrer la voiture.

— Non ! s'écria Novembre en se rasseyant. Je vais bien. C'est juste le décalage horaire. Je me suis endormie, c'est tout. Je vais aller me coucher et ça va aller mieux demain.

Elle promit à son amie de l'appeler, même si elle savait que c'était un autre mensonge. Chloé ne la crut pas une seconde. Novembre aurait aimé pouvoir la rassurer davantage, mais elle n'en avait pas le temps.

— Il faut partir, dit-elle à Loup et à Nina, qui l'aidèrent à se relever et à sortir de la cuisine.

Chloé protesta et cria à son frère d'appeler une ambulance pendant que tatie Vivi essayait de lui faire comprendre que ce n'était pas nécessaire.

Novembre n'entendit pas le reste de la discussion. Elle avait fermé les yeux pour retourner avec sa mère. Silmaëlle se défendait avec de moins en moins de vigueur. Ses poumons inspireraient bientôt tout seuls et ce réflexe allait causer sa mort.

Deux sensations opposées se produisirent alors à l'intérieur de son corps. Sa lumière s'évanouit d'un coup et, avec elle, ses dernières forces, mais, presque en même temps, son sang se gorgea d'oxygène et ses pensées s'éclaircirent.

Elle flottait encore dans l'eau, mais une fine couche d'air rafraîchissait sa peau mouillée. Elle fit un geste pour repousser les mèches bordeaux qui lui collaient au visage, mais découvrit que ses mains étaient attachées dans son dos. Des menottes de diamant noir mordaient la chair de ses poignets.

Novembre s'obligea encore une fois à revenir dans sa propre tête. Loup et Nina avaient réussi à la traîner jusqu'en haut. Ils étaient dans sa chambre et une rangée d'elfes s'alignaient sur le rebord de la fenêtre. Avec leur peau verte et leurs ailes de papillon, ils ressemblaient à des figurines de dessin animé.

— Que se passe-t-il? demanda Iriel dans la langue des elfes.

Il avait posté ses soldats un peu partout dans la maison et le jardin qui l'entourait. La scène qui venait de se produire dans la cuisine n'était pas passée inaperçue.

— Lilibé vient d'être attaquée, répondit Novembre.

Iriel n'eut aucune réaction.

— Une autre bombe? s'enquit un des gardes.

Elle secoua la tête en se dépêchant de sortir ses vêtements d'elfe qu'elle avait dissimulés dans un des tiroirs de sa commode.

— De l'eau. Les ondins ont inondé la cité.

Elle chiffonna le minuscule uniforme blanc dans son poing, ferma les yeux et commença à respirer lentement en essayant de vider son esprit pour se préparer à se métamorphoser.

Loup posa une main sur son épaule.

— Tu ne viens pas avec nous, Novembre.

Elle ouvrit les yeux et la bouche. Même Nina semblait décidée à la laisser poireauter toute seule à la maison. Elle enfonça ses yeux dans ceux d'Iriel.

— Ma mère est en danger. Je viens avec vous.

— Elle vient avec nous, Éléssan, se contenta-t-il de dire en fixant Loup de son regard inexpressif.

Ils s'affrontèrent une minute en silence. La voix quasi hystérique de Chloé et celle, ferme et sévère, de tatie Vivi qui la retenait en bas leur parvenaient à travers le plancher, mais leurs paroles restaient inintelligibles. Loup finit par hocher la tête.

— Je suppose que tu ne seras pas plus en sécurité ici que là-bas.

Sans perdre une seconde de plus, il s'approcha d'elle et plaça ses paumes sur ses tempes pour l'aider à retrouver son corps d'elfe. Elle était maintenant capable d'appeler seule sa lumière, mais elle avait du mal à gérer le changement de taille. Tout se passa très vite. Une chaleur vive germa sous son nombril et irradia dans ses veines. D'habitude, elle avait le temps d'en goûter la douceur et la puissance, mais, cette fois-ci, Loup était pressé et elle eut plutôt l'impression que chacune de ses cellules se désintégrait. Elle serra les dents pour ne pas se mettre à gémir.

Ses ailes lui déchirèrent le dos et elle redevint Aïnako.

# 20

## Cavalcade

Le vent sifflait à ses oreilles. Rantanplan n'avait jamais galopé aussi vite.

Elle serrait son pendentif dans ses doigts, mais la larme de diamant ne lui renvoyait plus aucune image. Que des impressions de peur ou d'angoisse qui auraient pu être les siennes.

— Aïnako ! l'appela Éléssan qui chevauchait à ses côtés. Toujours rien ?

Elle secoua la tête.

Ça faisait des heures qu'ils étaient partis. Ils avaient d'abord survolé la forêt à dos de corbeau et venaient tout juste de retrouver les renards. Au-dessus d'eux, la couleur du ciel hésitait entre le gris, le blanc et le bleu.

Derrière elle, Iriel ne disait pas un mot, ce qui n'avait rien de surprenant, mais elle était certaine de sentir son regard lui brûler la nuque. Ses genoux ne l'effleuraient jamais, même quand Rantanplan sautait par-dessus un obstacle ou prenait un virage serré, mais elle percevait parfois son souffle sur ses ailes. Il paraissait plus tendu qu'à la normale; sa respiration était saccadée.

Autour d'eux, les soldats étaient muets et sérieux. Pas une fois ils ne détournèrent la tête pour observer le paysage.

C'était presque un miracle que Chloé et Zac ne les aient pas aperçus. Le frère et la sœur avaient quitté la maison de tatie Vivi en même temps que les elfes. Aïnako avait même cru voir son amie écarquiller les yeux quand ils s'étaient envolés par la fenêtre de sa chambre. Mais elle était loin, elle avait dû penser qu'il s'agissait d'une nuée de papillons. Le problème, c'était qu'il n'y avait pas de papillons à cette époque de l'année...

Au moment où les renards franchissaient la frontière d'Élimbrel, un cri de rapace attira tous les regards vers le haut. Un épervier fondait sur eux. Les soldats tirèrent leur épée. L'oiseau redressa son vol juste avant de frapper le sol.

— Olian! s'exclama Aïnako.

— Qu'est-ce que tu fais là? demanda Naïké à son neveu en remettant son arme au fourreau.

L'épervier volait maintenant à côté d'eux en contournant les arbres à toute allure.

— Lilibé a été inondée, cria Olian.

— On sait, répondit Aïnako.

Elle ouvrit la main pour lui montrer son pendentif.

— Une autre vision en direct, enchaîna-t-elle en refermant sa main sur la larme de diamant.

Olian se souvenait-il de la première vision de ce type qu'elle avait eue ? Elle était avec lui à Lilibé et sa lumière avait explosé comme une supernova. Sur le coup, elle ne lui avait pas dit ce que c'était ; elle lui en avait parlé plus tard seulement, alors que sa filiation gnome n'était plus un secret pour personne.

— Tu sais aussi où se trouve la reine ? demanda-t-il.

— Les ondins l'ont enlevée. Je... je crois qu'elle est toujours en vie. Et les habitants de la cité ?

— Je ne sais pas. Ce sont les insectes qui m'ont mis au courant. On venait tout juste d'entrer en Élimbrel.

La délégation dont il faisait partie avait quitté Shamguèn il y avait une semaine, soit une journée avant Aïnako et ses gardes. La route séparant les deux royaumes était plus longue que celle menant chez tatie Vivi.

— Tu venais nous avertir ! réalisa-t-elle.

Si Olian s'était porté volontaire pour servir

de messager, c'était qu'il voulait la revoir, qu'il lui avait pardonné.

— C'est Zoïrim qui m'envoie, dit-il d'un ton plat qui tua son sourire avant même qu'il n'éclose sur ses lèvres.

Elle dut se baisser pour passer sous une branche basse, pendant que l'épervier donnait un coup d'aile pour s'élever plus haut. Elle crut qu'il allait poursuivre vers le ciel, mais la voix d'Éléssan le ramena à leur niveau.

— Qu'est-ce que les insectes t'ont dit, Olian ?

Il devait crier pour se faire entendre.

— La rivière qui traverse Lilibé s'est mise tout d'un coup à déborder. Personne n'a pu prendre la fuite. Des ondins ont débarqué par dizaines et sont repartis presque tout de suite. L'eau les a suivis. Ils n'avaient qu'une elfe avec eux.

— Maë, souffla Iriel si bas que seule Aïnako l'entendit.

La seconde d'après, tout devint noir. Ce mot, le surnom de sa mère prononcé par Iriel, avait suffi à la faire replonger dans une vision. Pas le moindre caillou ne luisait. Sa propre lumière semblait gelée. Elle ne voyait rien. Elle n'était pas habituée à l'obscurité totale.

Sans savoir pourquoi, elle se mit à penser à Iriel. Pas au guerrier froid et stoïque qu'il était devenu ; plutôt au jeune homme aux yeux pétillants qu'il n'était plus depuis longtemps.

Elle ne voyait rien, mais elle sentait la pierre lisse et mouillée sous sa joue et contre ses pieds nus. Un clapotis feutré emplissait ses oreilles. C'était le seul son qu'elle entendait. Elle était dans une grotte sous-marine que les ondins avaient fermée d'un mur d'eau.

L'image d'Iriel fut remplacée par son propre visage. Il lui semblait qu'elle était plus belle qu'en réalité. Sa mère devait l'idéaliser.

Silmaëlle se redressa et prononça son nom :

— Aïnako !

Sa voix était pleine d'espoir et de crainte.

Elle leva une main et l'appuya sur sa poitrine, enfonçant son pendentif dans sa chair. Les ondins lui avaient détaché les mains, mais un bracelet de diamant noir restait accroché à chacun de ses poignets.

Un bruit de pas mouillés vint briser la monotonie des vaguelettes qui s'entrechoquaient. Une lueur tremblotante dissipa les ténèbres. Elle reconnut Lubu Pieds d'Orque. Une bulle d'eau contenant une minuscule créature luminescente brillait dans sa main. Il n'était pas flanqué de ses gardes habituels. Les deux personnes qui l'accompagnaient étaient des elfes.

Ils portaient les vêtements rapiécés

caractéristiques des elfes sauvages. Pourtant, leur attitude était celle de soldats. L'épée qu'ils portaient sur la hanche n'était pas aussi travaillée que celle des militaires d'Élimbrel ou de Shamguèn, mais la lame en semblait affûtée.

Silmaëlle se leva en s'appuyant au mur.

— Qu'est-ce que je fais ici, Lubu ?

Le roi ondin posa ses yeux affligés sur les siens. On aurait dit qu'il n'avait pas dormi depuis des jours. Ses paupières étaient violettes et de profondes rides creusaient son front. Sa peau bleue paraissait livide, mais ce n'était peut-être qu'un effet de l'étrange lumière qui émanait de la créature.

— Ils ont enlevé Lubaninon, dit-il d'un air sombre.

— Qui, Lubu ? Qui a enlevé Lubaninon ?

— Faudrait le leur demander, cracha-t-il en désignant les elfes du menton. Je n'ai eu affaire qu'à ces pions. Ils m'ont forcé à t'enlever à mon tour si je voulais la revoir.

Silmaëlle s'approcha de lui, mais sa réponse fut enterrée sous des jappements de surprise.

Aïnako fut propulsée hors de la vision. Le tapage venait des renards qui s'étaient mis à caracoler dans tous les sens. Des fontaines d'eau jaillissaient du sol !

— Okmern aussi a été inondé ! s'écria-t-elle en s'accrochant à la fourrure de Rantanplan.

— Et Shamguèn, dit calmement Iriel.

Elle se retourna vers lui.

— Comment le sais-tu ?

— Ils veulent nous occuper.

Il n'élabora pas, mais elle avait compris. Les ondins voulaient s'assurer que les effectifs des trois royaumes seraient trop occupés pour se lancer à leurs trousses.

L'eau débordait de chaque crevasse, transformant la terre en soupe. Les renards barbotaient, nerveux et mécontents.

— On se dirige vers Shamguèn, cria-t-elle à Éléssan et à Naïké.

Tout en essayant de calmer leur monture, ils haussèrent les sourcils, interrogateurs.

— On ne peut rien pour ma mère dans le moment, expliqua-t-elle. Lilibé n'est plus inondée ; il faut qu'on aille s'assurer que la population de Shamguèn va bien.

— Et Okmern ? demanda Olian qui volait toujours à leurs côtés. Kaï est encore là-bas.

Aïnako hocha la tête. Elle avait pensé à son amie prisonnière dès qu'elle avait vu l'eau sortir du sol, mais elle s'était obligée à la chasser de son esprit.

— Les cachots des elfes sauvages sont plus près de Shamguèn que d'Élimbrel, répondit-elle en évitant le regard d'Olian. Varénia ne laissera pas les prisonniers se noyer.

Elle avait essayé de paraître sûre d'elle, mais elle n'était pas certaine d'y être parvenue. Même s'ils décidaient de voler au secours de Kaï, ils n'arriveraient pas à temps.

— Je vous devance pour vous trouver d'autres montures quand les renards se fatigueront, dit Olian avant de murmurer quelques mots à l'oreille de son oiseau, qui poussa un cri et remonta aussitôt dans les airs.

Éléssan ordonna aux elfes de mettre le cap sur Shamguèn. La route la plus directe les ferait passer au-dessus d'Okmern, dans l'eau. Les renards n'aimaient pas l'eau. Ils auraient préféré rebrousser chemin, mais ils avaient confiance en leurs cavaliers et ils se laissèrent convaincre de poursuivre.

— Qu'as-tu vu ? demanda Iriel.

Il avait chuchoté très vite, comme si la question s'était échappée de ses lèvres.

— Elle va bien, répondit Aïnako.

Iriel soupira imperceptiblement. Elle hésita avant de poursuivre :

— Lubu est avec elle. C'est lui qui l'a enlevée, mais il ne veut pas la tuer. Il y avait deux elfes avec lui. Ce sont eux qui l'ont obligé à le faire.

Elle se demanda si elle devait mentionner leurs vêtements en patchwork et décida que non, pas avant d'en avoir parlé à Kaï… si elle n'était pas déjà morte.

Olian revint vers eux quelques instants plus tard.

— Il y a des gnomes qui tentent de fuir leurs souterrains juste devant nous, annonça-t-il. Ils sont en train de cramer au soleil.

Aïnako sentit le sang quitter son visage.

— D'accord, on va les aider. Avec ton oiseau, tu vas plus vite que nous ; tu devrais continuer jusqu'à ce que tu trouves Kaï… ou Varénia pour lui demander où est Kaï.

Olian acquiesça et l'épervier repartit vers la cime des arbres. Rantanplan accéléra malgré les muscles fourbus de ses pattes. Plus loin, entre les troncs gris, des gnomes émergeaient de la terre par dizaines et couraient se réfugier sous des souches à moitié déracinées ou des bosquets aux branches denses.

Les elfes sautèrent des renards et s'éparpillèrent pour aller leur prêter main-forte.

Un gnome vêtu d'une longue cape noire aidait les autres à s'extirper des tunnels. Son capuchon le protégeait des rayons ultraviolets, mais ses mains se couvraient de cloques chaque fois qu'il tirait l'un de ses compatriotes hors de l'eau.

Aïnako s'approcha de lui.

— Allez vous mettre à l'abri! Nous nous chargerons de faire sortir les autres.

Le gnome leva son visage vers elle. Ses yeux noirs la clouèrent sur place.

— Valrek!

# 21

## Marché

Iriel dégaina son épée et la pointa sur Valrek qui sourit de toutes ses dents.

— Majesté ! fit l'ancien roi. J'ai failli ne pas vous replacer, sans vos airs de morveuse effarouchée.

Aïnako ouvrit la bouche en battant des paupières. Elle ne savait pas si elle devait s'enfuir ou lui cracher au visage. Valrek ricana.

— Ah ! Là, vous voyez, je vous reconnais mieux.

Il avait remis ses bras sous sa cape et les cloques étaient en train de s'effacer. Aïnako serra les poings.

— Joli tatouage, dit-elle pour lui rappeler son statut de prisonnier.

— Ouais, fit-il en caressant son menton. Il paraît que ça met mes yeux en valeur.

Dans le tunnel devant lui, un gnome creva la

surface de l'eau en toussant. Valrek le tira par les aisselles et l'enjoignit d'aller retrouver ceux des leurs qui avaient élu domicile sous une espèce de promontoire rocheux.

Il cacha de nouveau ses mains boursouflées sous le tissu noir.

Iriel avança d'un pas.

— Oh ! fit le roi déchu quand son épée s'appuya sur sa joue. Dis à ta fourmi guerrière de se calmer ! Je ne suis qu'un honnête citoyen qui essaie de faire son devoir.

— Comment t'es-tu évadé ? demanda l'elfe en creusant un minuscule trou dans la chair blanche du gnome.

Un autre habitant d'Okmern pointa sa tête hors de l'eau.

— Tu vas me laisser l'aider ? s'enquit Valrek sans détourner ses yeux de ceux d'Iriel.

Voyant que le chef de sa garde n'avait pas l'intention de bouger, Aïnako se précipita vers le malheureux qui glissait en cherchant à agripper le rebord du tunnel. Elle le saisit par le dos de sa tunique et, en battant fort des ailes pour ne pas perdre l'équilibre, elle le hissa à ses côtés. Quand le rescapé fut parti rejoindre ses compatriotes, elle écarta légèrement le bras d'Iriel et planta ses yeux dans ceux de Valrek.

— Pourquoi fais-tu ça ?

Il lécha la goutte de sang qui avait coulé jusque sur ses lèvres pendant que le point rouge sur sa joue se refermait.

— Pourquoi est-ce que je ne me sauve pas en laissant mourir les miens ? Un roi n'est rien sans son peuple. C'est du moins ce que n'arrêtait pas de me dire mon père.

— Sauf que tu n'es plus roi.

Il lui répondit par un sourire malicieux.

— J'avais remarqué, figure-toi.

Un nouveau gnome surgit des profondeurs de la terre. Cette fois, Iriel permit à Valrek de lui venir en aide, mais il garda son arme braquée sur lui ; des serpents de lumière argentée s'enroulaient le long de la lame et de son bras.

Un autre gnome suivit aussitôt, entièrement vêtu de noir.

— C'était le dernier, dit-il en s'asseyant de lui-même au bord du tunnel. C'est maintenant que le vrai travail va commencer.

Aïnako reconnut la voix d'Omkia. Il s'était adressé à Valrek comme à un ami.

— Varénia sait-elle que vous avez aidé son frère à s'évader ? demanda-t-elle.

Le maître sculpteur leva son visage encagoulé vers les deux elfes.

— C'est elle qui m'a chargé de libérer les prisonniers. Des gardes les surveillent ; ils ne se sauveront pas. Les elfes sauvages sont avec eux.

Aïnako eut l'impression qu'un énorme poids venait de s'évaporer de ses épaules. Kaï était sauve. Elle aurait voulu courir l'annoncer à Olian.

— Vous pouvez baisser votre arme, ajouta le gnome en s'adressant à Iriel. Valrek n'ira nulle part.

— Vous semblez bien sûr de vous, commenta Aïnako.

— Je lui fais confiance, c'est tout.

— Vous lui faites confiance ?

Elle ne voyait pas comment quiconque pouvait avoir confiance en ce traître. Omkia haussa les épaules.

— Continuez à le tenir en joue si vous voulez, j'ai autre chose à faire.

Il retira ses gants et mit ses paumes à terre de chaque côté de lui. La pierre lui avala les mains jusqu'au poignet. Il baissa la tête et resta immobile.

À travers ses semelles, Aïnako sentit qu'il prenait possession de chaque particule rocheuse. Elle s'accroupit et toucha le sol inondé pour mieux suivre son énergie. L'entièreté d'Okmern lui apparut. Il y avait tellement de ramifications que c'en était étourdissant. Elle remarqua d'étranges galeries creusées un peu partout. Elle était certaine que ces boyaux n'étaient pas là une semaine plus tôt.

Ils semblaient avoir été faits à la hâte, sans plan ni finition.

La voix du maître sculpteur s'insinua dans son cerveau, calme et assourdie.

— *Nous les avons creusées dès que l'eau s'est mise à monter. On les ouvrait quand un gnome passait à côté et on les refermait tout de suite. Mais la pression est trop forte ; elles vont s'écrouler si on ne vide pas le royaume. On a fait évacuer les galeries les plus hautes, mais les plus basses sont trop loin de la surface. Les gnomes qui s'y trouvent se noieraient avant d'atteindre l'air libre.*

Aïnako ferma les yeux. Elle pouvait effectivement percevoir la vibration de milliers de gnomes prisonniers de centaines de salles fermées.

— *Pourquoi ne pas avoir vidé Okmern tout de suite* ? demanda-t-elle en se concentrant sur la présence du gnome.

— *Vous verrez bien,* répondit Omkia.

« Bon ! se dit-elle, ironique. Un autre qui cultive le suspense, comme Varénia avec sa prétendue surprise ! » Un rire sans joie se fit entendre sous son crâne. Le maître sculpteur avait également perçu cette pensée.

Sous terre, une nouvelle force se mêla à la sienne, puis une autre et une autre encore. Une cinquantaine envahirent les souterrains en se fondant les unes dans les autres. Certaines étaient aussi puissantes que celle d'Omkia, mais la plupart l'étaient moins. La plus vigoureuse de toutes était celle d'Erkor, le commandant de l'armée d'Okmern. Ce fut lui qui les rassembla et les canalisa. On aurait dit qu'il attirait chacune de ces forces comme on aspire du jus avec une paille et qu'il les entortillait pour former une seule longue colonne d'énergie.

Aïnako plongea avec les gnomes vers les tunnels les plus profonds. Ils allaient dépasser les limites du royaume et pénétrer encore plus loin dans la croûte terrestre quand ils rebondirent tous ensemble sur un champ de force étranger. Là où la terre aurait dû être pleine de cailloux, une masse impénétrable prenait toute la place. Une masse liquide et mouvante.

« Étrange, se dit Aïnako. Okmern n'a pourtant pas été construit si près de la nappe phréatique. »

— *Il ne l'a pas été, non plus.*

Elle sursauta. Omkia avait encore suivi le cours de ses pensées.

— *Vous ne vous protégez pas assez,* expliqua-t-il.

Son attention retourna vers l'eau qui les tenait en échec. Normalement, les gnomes auraient dû pouvoir modeler la pierre peu importait l'environnement dans lequel elle se trouvait, mais quelque chose semblait volontairement les repousser.

Les ondins les empêchaient de vider Okmern.

C'était la seule explication. Ils utilisaient leur influence sur l'eau pour bloquer le pouvoir des gnomes. Erkor avait beau déployer l'entièreté du talent et de la volonté de ses cinquante collègues, il ne parvenait pas à percer la barrière aquatique. Il avait foré des trous dans tous les tunnels du royaume, mais l'eau refusait de s'écouler. Aïnako ressentait sa frustration et son incompréhension. Qu'avaient-ils bien pu faire pour que les ondins leur déclarent ainsi la guerre ?

— *Ils ont enlevé ma mère,* dit-elle dans sa tête.

Omkia fut le seul à saisir ses mots silencieux. Il ne répondit pas, mais elle perçut son étonnement.

Une onde de rage traversa la pierre. Erkor en avait assez. Il appela la totalité des forces de chacun des gnomes qui le soutenaient. Aïnako entendit Omkia émettre un grognement de fatigue, tandis qu'il obéissait au commandant. Elle essaya d'apporter sa maigre contribution, même si elle ne savait pas trop comment s'y prendre. Erkor, lui, savait. Elle eut l'impression qu'une main immatérielle lui arrachait les entrailles. Elle sentit sa lumière quitter son corps et se mêler à la puissance brute des gnomes.

Elle avait cru voir le royaume d'Okmern se dessiner dans son esprit quand elle avait suivi l'énergie d'Omkia ; ce n'était rien par rapport à ce qu'elle découvrit alors.

Elle avait conscience de chaque millimètre cube de roc. Elle percevait jusqu'à l'infinité d'atomes qui composaient la roche. Paradoxalement, ce fut sa propre petitesse qui lui coupa le souffle. Erkor dut la forcer à rester concentrée. La présence du gnome agissait comme un aimant. Sa colère teintait la roche de rouge.

Le champ de force des ondins céda. La pierre défonça l'eau. Le sous-sol d'Okmern s'ouvrit et les tunnels se vidèrent dans la terre.

Une joie féroce parcourut la pierre. Erkor était heureux de sa victoire, mais, s'il avait pu liquider tous les ondins de la planète en claquant des doigts, il l'aurait probablement fait sans hésiter. Il s'appliqua plutôt à ouvrir une à une la centaine de galeries scellées où ses concitoyens étaient enfermés.

Il libéra ensuite les cinquante gnomes qui l'avaient aidé. Leur force quitta le roc pour réintégrer leur corps. Chacun d'eux se trouvait perché comme Omkia sur la bouche béante d'un tunnel, un peu partout au-dessus du royaume.

Aïnako perdit l'équilibre et tituba comme si le commandant l'avait réellement lâchée.

L'épée d'Iriel toujours appuyée sur la joue, Valrek eut un sourire en coin.

— Ça donne un coup, pas vrai ?

Elle regarda autour d'elle, légèrement sonnée. Tous ses gardes étaient près d'eux. Éléssan et Naïké se tenaient à ses côtés, anxieux. La terre était encore détrempée, mais, au moins, elle ne ressemblait plus à une pataugeoire.

Toujours assis, Omkia ne bougea pas pendant un long moment. Quand il se releva, elle remarqua que ses jambes tremblaient. Elle se sentait elle aussi à bout de souffle, alors qu'elle n'avait probablement pas fourni le dixième des efforts que les gnomes avaient offerts à leur commandant. Il l'étudia à travers sa cagoule noire.

— Vous avez dit que les ondins ont enlevé votre mère ?

Aïnako acquiesça, encore un peu étourdie. Elle toucha son pendentif en se rappelant sa dernière vision. Lubu avait enlevé sa mère, mais il ne la tuerait pas, elle en était certaine. Quoique… si la vie de Lubaninon était en jeu, jusqu'où serait-il prêt à aller ? Et, les elfes qu'elle avait vus avec lui, qui étaient-ils, que voulaient-ils ? La tueraient-ils s'ils n'obtenaient pas satisfaction ? Était-ce vraiment des elfes sauvages ? Kaï les connaissait-elle ? Elle repensa à ses recherches sur les explosifs. Était-ce eux qui avaient posé les bombes ?

Elle se frotta le front et refit sa queue de cheval. Comment allait-elle faire pour sauver sa mère ? Même si l'ensemble de l'armée d'Élimbrel et de Shamguèn partait à sa rescousse, Uderlain se trouvait au fond d'un lac immense. À la nage, il faudrait des heures pour l'atteindre. Les soldats auraient le temps de mourir mille fois noyés.

À moins qu'ils ne passent sous terre…

— Où est Varénia ? demanda-t-elle au visage masqué d'Omkia.

Il fit un geste vague vers les arbres qui se trouvaient derrière lui.

— Par là. Je peux vous y conduire si vous voulez. À dos de renard, ça ne devrait pas prendre plus d'une heure.

— Tu ne devrais pas y aller.

C'était Valrek qui avait parlé. Sa voix était étonnamment soucieuse. Il fixait Omkia en fronçant les sourcils sous sa cape.

— Tu devrais aller t'abriter, continua-t-il. Tu es trop affaibli. Il sera bientôt midi et tes vêtements ne te protégeront pas suffisamment.

Omkia se tourna vers lui et retira sa cagoule

en prenant soin de laisser son grand capuchon tomber sur son front. Son visage semblait encore plus blanc qu'à l'ordinaire. Aïnako se demanda une fois de plus quel âge il avait. Avec le soleil qui filtrait à travers les branches et l'épuisement qui se lisait dans ses yeux, il paraissait à peine plus vieux qu'elle.

Il regarda son ancien maître avec agacement.

— Tu restes, ou tu viens, Valrek ?

L'ancien roi d'Okmern esquissa un sourire ironique.

— Je préférerais éviter toute balade qui risque de me réduire en tas de chair fondue, mais je doute que ce gentil guerrier me laisse libre de mes choix.

Iriel ne réagit pas. Ce fut Éléssan qui prit la parole.

— Le prisonnier restera sous notre garde. Nous escorterons Aïnako où qu'elle aille et il nous suivra jusqu'à ce que nous puissions le remettre dans sa cellule.

— Il ne se sauvera pas, dit Omkia pour la deuxième fois ce matin-là.

Il y avait encore cette étrange assurance dans sa voix.

— Laisse-les faire, dit Valrek qui n'avait pas perdu son sourire en coin. Jouer les prisonniers me convient parfaitement pour le moment.

Un cri d'oiseau retentit. Une ombre se laissa

descendre en tournoyant. L'épervier d'Olian se posa devant Aïnako qui fut surprise de constater que son ami était accompagné de deux gnomes vêtus de noir.

— Elle m'a demandé de la conduire jusqu'à toi dès qu'elle m'a vu. Elle ne sait pas où est Kaï, mais elle m'a dit que toutes les prisons ont été évacuées.

— C'est vrai, répondit Aïnako. Je l'ai vu par moi-même.

— Vous l'avez vu, Majesté? fit Varénia en sautant à terre. Vous êtes décidément plus douée que vous n'en avez l'air.

Aïnako garda le silence en se demandant si la reine d'Okmern était volontairement insultante ou si c'était seulement sa façon d'être.

— Karask, continua Varénia en se tournant vers celui qui l'avait suivie en bas de l'oiseau, aide Omkia à ligoter mon frère. Ne le lâchez pas des yeux. Je sens qu'il mijote quelque chose, sous ses dehors de prisonnier modèle.

Valrek ouvrit la bouche pour répliquer, mais Omkia lui tordit fermement le bras derrière le dos. Il avait remis sa cagoule et, même si ses genoux tremblaient encore, ses gestes étaient rudes et précis. Toute trace de complicité entre lui et l'ancien roi avait disparu. Il le maintint immobile pendant que Karask lui menottait les poignets et les chevilles.

Varénia s'approcha d'Aïnako.

— Je sais, pour ta mère, murmura-t-elle. Ton copain me l'a dit.

— Accepteras-tu de m'aider à la libérer ?

— Tu sais ce que je veux en retour ?

— Je sais.

Le visage de la gnome était invisible, mais Aïnako crut voir un des coins de sa bouche se relever. « Le même sourire arrogant que Valrek », songea-t-elle.

Elle s'aperçut qu'Iriel l'observait. S'il avait deviné la nature de leur discussion, il ne fit rien pour la dissuader de passer ce marché avec Varénia.

Elle allait sauver sa mère. Encore une fois. Alors qu'elle aurait dû se sentir effrayée ou désespérée, des papillons d'excitation s'étaient mis à palpiter dans son ventre. La perspective de l'action la rendait fébrile.

## LISTE DES PERSONNAGES

**Aïnako** : Elfe, seconde reine du royaume de Shamguèn, fille de Silmaëlle et petite-fille de Taïs. Elle a été élevée par sa tante, tatie Vivi, sous une forme humaine et en répondant au nom de Novembre.
**Anlis** : Elfe, gouverneur des Boisés Bourgeonnants, une des provinces d'Élimbrel.

**Chloé** : Humaine et amie de Novembre, alias Aïnako.

**Éléssan** : Elfe, commandant de l'armée de Shamguèn, il a joué le rôle de cousin d'Aïnako au cours des premières années de sa vie.
**Erkor** : Gnome, commandant de l'armée d'Okmern.

**Fælkor** : Elfe, père d'Aïnako, ancien prince de Shamguèn né de la brève union entre Taïs et Melkor.
**Flo** : Humain, oncle d'Aïnako, mari de tatie Vivi.

**Handur** : Elfe, commandant de l'armée d'Élimbrel.

**Iriel** : Elfe, chef de la garde rapprochée d'Aïnako, ancien amoureux de Silmaëlle.

**Kaï** : Elfe, chef des elfes sauvages qui habitent sur le territoire d'Élimbrel, fille naturelle de Tsamiel.
**Karask** : Gnome, chef de la garde rapprochée de Varénia.

**Léviann** : Elfe, conseiller personnel de Taïs.
**Loup** : Nom humain d'Éléssan.
**Lubaninon** : Ondine, princesse du royaume d'Uderlain, fille de Lubu Pieds d'Orque.
**Lubu Pieds d'Orque** : Ondin, souverain du royaume d'Uderlain.

**Maë** : Surnom de Silmaëlle.
**Maïris** : Elfe, membre du conseil royal de Shamguèn.
**Melkor** : Gnome, ancien roi du royaume d'Okmern, père de Valrek et de Varénia. Il est également le père de Fælkor et le grand-père d'Aïnako.

**Naïké** : Elfe, guerrière à la solde de l'armée de Shamguèn, elle a joué le rôle de cousine

d'Aïnako au cours des premières années de sa vie.
**Néréli** : Elfe, mère de Silmaëlle, grand-mère d'Aïnako ; jadis reine du royaume d'Élimbrel, elle a été tuée lors de combats contre l'armée de Taïs.
**Nina** : Nom humain de Naïké.
**Novembre** : Nom humain d'Aïnako.

**Olian** : Elfe, neveu de Naïké, soldat de l'armée d'Élimbrel.
**Omkia** : Gnome, maître sculpteur de Varénia, ancien soldat de la garde rapprochée de Valrek.

**Païlia** : Elfe, ancienne flamme de Fælkor.

**Sajra** : Elfe, chef de la garde rapprochée de Taïs.
**Silmaëlle** : Elfe, reine du royaume d'Élimbrel, fille de Néréli et mère d'Aïnako.

**Taïs** : Elfe, première reine du royaume de Shamguèn, mère de Fælkor et grand-mère d'Aïnako.
**Tsamiel** : Elfe, sœur cadette de Taïs, ancienne reine du royaume d'Élimbrel, mère naturelle de Kaï.

**Valrek** : Gnome, ancien roi du royaume d'Okmern, frère de Varénia.
**Varénia** : Gnome, reine du royaume d'Okmern, sœur de Valrek.
**Vivi (Tatie)** : Tante d'Aïnako. Née elfe, elle a choisi de vivre sous une forme humaine. C'est elle qui a élevé Novembre, alias Aïnako.

**Zac** : Humain, frère de Chloé.
**Zeïa** : Elfe, soldat de l'armée d'Élimbrel.
**Zélion** : Ondin, accompagnateur de Lubu Pieds d'Orque.
**Zoïrim** : Elfe, ambassadeur royal de Silmaëlle.

# TABLE DES MATIÈRES

Ce livre a été imprimé sur du papier contenant 100 %
de fibres recyclées postconsommation, certifié Écolo-Logo
et Procédé sans chlore et fabriqué à partir d'énergie biogaz.